Este não é um manual de autoajuda, tampouco um [illegible] teorias idealizadas, mas o relato de experiências reais, no chão da vida, de um jovem marido, pai e pastor. Nessas trocas entre marido e esposa, pais e filhos, avós e netos, sogro, genro e nora, nada é omitido: desencontros e reencontros, desafios e dilemas, dificuldades e superações, frustrações e conquistas. Uma leitura que nos inspira a amar e ser amados, pois é através do Amor que tangenciamos o divino, o eterno e o sagrado.

OSMAR LUDOVICO DA SILVA
Autor de *Inspiratio* e pai de dois filhos

Este livro intimista, humano, educativo, emocionante, divertido e fácil de ler nos lembra que ser pai não é mole, não! Mas vale a pena correr o risco e pagar o preço de desfrutar da santa adrenalina de gerar e gestar um ser humano criado à imagem e semelhança de Deus. A paternidade nos ensina a corresponder à grandeza do amor ágape que nos transforma em melhores filhos do Deus Pai do céu.

ALEX DIAS RIBEIRO
Ex-piloto de Fórmula 1, autor de *Força para vencer*
e pai de dois filhos

Não tenho palavras para descrever a importância deste livro para que eu entendesse como a visão de um pai é diferente da de uma mãe. Ainda que demonstrem menos, os homens também têm seu lado sensível, inseguro e cheio de incertezas. Nunca tinha visto meu irmão por essa perspectiva, e agora compreendo também que o nascimento de um filho não muda somente a mãe, mas também o pai e a dinâmica do casal. Um livro agradável, divertido e que nos ensina muito. Recomendo!

LORY BREUEL BUFFARA

Fundadora da Mommy's Concierge e mãe de dois filhos

Este livro é um convite especial à intimidade. Neste labirinto do coração paterno, René Breuel confirma a lição dos grandes mestres: a vida é a nossa grande escola de espiritualidade. Sem propor fórmulas, o autor compartilha sua jornada no aprendizado da paternidade e nos dá espaço para que compartilhemos as nossas próprias experiências. Um texto oportuno, honesto e inundado de esperança. Sim, é difícil ser pai, mas é uma aventura possível. Boa leitura!

ZIEL J. O. MACHADO

Vice-reitor do Seminário Teológico Servo de Cristo, pastor na Igreja Metodista Livre e pai de três filhos

Ao ler este texto encontrei o autor honesto e transparente que conheço. Em *Não é fácil ser pai,* René consegue, de forma envolvente, realista, romântica e bíblica, encorajar pais a serem pais.

LISÂNIAS MOURA

Pastor sênior da Igreja Batista do Morumbi e pai de dois filhos

O livro do René Breuel é o diário de um pai. Com maestria e muita sensibilidade, ele descreve a importância da missão paterna. Parabenizo o autor e recomendo a leitura desta preciosa obra.

ARIVAL DIAS CASIMIRO

Pastor da Igreja Presbiteriana de Pinheiros e pai de dois filhos

Não é fácil ser pai

Como domar os leõezinhos, não chatear sua esposa e recuperar (um pouco) a sanidade depois da paternidade

RENÉ BREUEL

MUNDO CRISTÃO

Os textos das referências bíblicas foram extraídos da *Nova Versão Transformadora* (NVT), da Tyndale House Foundation, salvo indicação específica.

CIP-Brasil. Catalogação na publicação
Sindicato Nacional dos Editores de Livros, RJ

B854n

Breuel, René
Não é fácil ser pai : como domar os leõezinhos, não chatear sua esposa e recuperar (um pouco) a sanidade depois da paternidade / René Breuel. - 1. ed. - São Paulo : Mundo Cristão, 2023.
176 p.

ISBN 978-65-5988-211-3

1. Parentalidade - Aspectos religiosos - Cristianismo. 2. Pais e filhos - Aspectos religiosos - Cristianismo. 3. Pais - Vida religiosa. 4. Pessoas casadas - Vida religiosa. I. Título.

23-82975 CDD: 248.8
CDU: 27-45

Meri Gleice Rodrigues de Souza - Bibliotecária - CRB-7/6439

Categoria: Família
1ª edição: junho de 2023 | 1ª reimpressão: 2023

Edição
Daniel Faria

Revisão
Natália Custódio

Produção e diagramação
Felipe Marques

Colaboração
Ana Luiza Ferreira

Ilustração de capa
Guilherme Match

Capa
Marina Timm

Editora Mundo Cristão
Rua Antônio Carlos Tacconi, 69
São Paulo, SP, Brasil
CEP 04810-020
Telefone: (11) 2127-4147
www.mundocristao.com.br

Para o Matteo e o Pietro,
meu orgulho e alegria

Sumário

Introdução

Quando meu primeiro filho nasceu, fiquei encantado. Fiquei exausto. Não sabia se estava pronto ou se *queria* ser pai.

Foi a transição mais difícil da minha vida. Fazer faculdade, sair de casa, convencer uma mulher bonita a se casar comigo — foi tudo difícil. Especialmente a última parte. Penei muito. O amor da *Sarah* por mim ainda me deixa maravilhado.

Quando um bebê chegou, porém, o nível de dificuldade aumentou. A vida de outra pessoa estava em jogo, uma vida frágil, que eu amava. Mas dentro da pessoa que deveria ser uma rocha para ele, detectei um coração instável, insegurança e falta de rumo.

Cresci ouvindo que a vida girava ao meu redor, que deveria perseguir meus sonhos, que era um campeão em construção. Racionalmente, sabia que se tratava de chavões repetidos em discursos motivacionais e propagandas de televisão. Mas debaixo da fachada de adulto responsável, eu ainda queria que a vida girasse ao meu redor *pelo menos um pouquinho*. Tinha metas por alcançar. Sonhava em me tornar aquele campeão, o que quer que isso significasse.

Mas aí um bebê nasceu, e com ele a necessidade de altruísmo constante. Vigor físico. Objetivos de vida ajustados. Acima de tudo, maturidade e sabedoria. Um alarme disparou dentro de mim: *Atenção! Território perigoso!* Eu queria ser um excelente pai. Sabia que poderia fracassar e recomeçar em outras áreas da vida, mas essa era uma área na qual queria acertar desde o começo. Meus filhos mereciam o melhor pai que eu pudesse ser.

Contudo, percebi também que não estava pronto. Precisava entender minha nova fase de vida e a metamorfose pessoal que ela exigia. Então, decidi refletir e escrever a esse respeito. Colocar palavras no papel me ajudou a discernir os estágios, processar o que estava vivenciando e colocar em ordem minha vida interior. O desafio não era aprender a trocar fraldas ou não deixar meu filho cair no chão (ele caiu dos meus braços uma vez e sobreviveu). Era o meu labirinto de ânimos e medos e mecanismos de fuga da realidade. *Eu* era o desafio.

Neste livro eu ofereço a minha vida para ajudar você a refletir sobre a sua. Não que eu me considere um modelo — na verdade, você vai ler um bocado sobre meus fiascos e trapalhadas. Mas espero que estas páginas lhe ofereçam um conforto meio estranho e ajudem você a perceber que não é o único novo pai ou nova mãe desastrado no mundo.

Uma última coisa, antes de começarmos. Quero usar os instintos paternos que ainda estou aperfeiçoando e arriscar algumas palavras de encorajamento para quem deseja ter filhos ou já tem filhos. Posso? Aí vão.

Vai dar tudo certo. Se você está lendo estas palavras, é porque se importa. Porque está se esforçando. Porque está interessado no lindo projeto de ajudar outro ser humano a crescer. Você vai cometer erros, é claro. Todo mundo comete. Mas aí a vida nos ensina. Algo dentro de nós encara o desafio. E algo grandioso se forma: uma mãe, um pai.

Nosso mundo precisa dessas pessoas.

1
Nascimento

O SOL NASCEU detrás do horizonte urbano. Parecia uma manhã de sábado qualquer para as pessoas que dormiam nos prédios que eu via da janela do hospital. Eu as imaginei acordando lentamente, abrindo o jornal e saboreando um preguiçoso café da manhã. Para a maior parte daqueles que despertavam naquele fim de semana em São Paulo, não seria uma manhã que mudaria sua vida.

Sentei-me numa cadeira de plástico que dava para a janela, desejando que o sol me comunicasse *algo*, quem sabe sabedoria de última hora. Mas ele ficou quieto, não transmitindo nada além dos raios que aqueciam meu corpo. Meus olhos fecharam e meus ombros relaxaram, depois o pescoço, os braços. Quando reabri os olhos, o sol iluminava o corredor da maternidade à minha direita, bem como os cartazes, as cadeiras e a porta branca ao fundo.

Minha esposa, Sarah, tinha sido levada por aquela porta meia hora antes. Uma enfermeira me disse que aguardasse no corredor, e depois que o sol nasceu comecei a folhear o manual para grávidas que a Sarah estava lendo. Havia uma seção que explicava como os pais poderiam ajudar no parto e que — apesar das melhores intenções — eu só havia começado a ler naquela semana.

Uau, quanta coisa, pensei em voz alta quando abri o manual quatro dias antes, deitado no sofá de casa. Não sabia que o parto tinha etapas específicas, nem como ajudar, nem mesmo quando ir ao hospital. Depois de alguns minutos tentando absorver as instruções, ouvi a Sarah ofegando e abri a porta de nosso apartamento. Ela estava subindo as escadas do prédio.

— O que você está fazendo? — perguntei.

— Não aguento mais. Esse bebê precisa nascer. — Ela se apoiou na parede e respirou fundo. — Ouvi falar que subir escadas acelera a chegada do parto.

— Ah, é? Quantos lances você já subiu?

— Estou subindo e descendo. Já dei onze voltas.

Nosso prédio tinha três andares. Fiz o cálculo rapidamente:

— Trinta e três andares?!

— É — ofegou de novo. — Você queria me dizer alguma coisa?

— É só que... eu estava lendo este manual aqui, a parte para os pais, mas é muito difícil. Não sei se vou me lembrar de tudo isso.

A Sarah me encarou nos olhos.

— Você está reclamando da *sua* parte? E a minha?

— Desculpa. Não quis dizer isso...

— Porque se quiser trocar, eu topo.

— Deixa quieto. Fico com a minha parte...

Aquela era minha parte, então. Sentado no corredor do hospital, deixei o sol iluminar as páginas do manual enquanto o estudava de última hora. Você está lá para ela. Ajude-a a relaxar, mas não force a barra ou ela vai se estressar. Talvez ela peça que você saia, mas esteja de prontidão para voltar. Não conte piadas. E faça tudo isso enquanto calcula as contrações, conversa com as enfermeiras e a encoraja — sem exagerar.

Não iria ser fácil.

A porta branca se abriu. Os raios de luz que brilhavam pela janela criaram uma atmosfera celestial, mas só por um instante. No momento seguinte, voltei aos meus sentidos e medos: o chão verde, o cheiro de desinfetante, as cortinas que separavam mulheres grávidas em estágios variados de dor, minha inquietação quanto a encarar tudo aquilo. Encontrei a Sarah do outro lado da sala.

— Como você está?

— Sinto dor a cada três minutos. Você pode ficar comigo agora?

— Me deixaram entrar. Quer água? Suco? Chocolate? Uma massagem?

— Quero você do meu lado — ela disse, segurando minha mão. — Não me deixe sozinha de novo.

— Pode deixar, estou aqui.

Eu teria preferido sair à procura de chocolate. As distrações sem importância são um dos meus mecanismos para não encarar os sentimentos.

Não sabia o que sentia, porém. Tinha imaginado que um vendaval de emoções me arrebataria: amor pelo bebê dentro de minha esposa, orgulho de me tornar pai, medo de que não conseguisse cuidar dele. Naquele momento, não senti nada disso. Notei só um apagão emocional. Enquanto a Sarah estava prestes a entrar em trabalho de parto, eu enfrentava meus próprios processos internos, mas não sabia no que consistiam. Essa coisa de olhar para dentro, de enfrentar o que se está sentindo, eu ainda lutava contra *isso*. Havia permitido que alguns estereótipos me influenciassem, estereótipos que eu sabia não serem verdadeiros, mas que não conseguia deixar de ouvir. Eles convergiram numa voz que eu chamo de Sr. Macho e deram início a um monólogo interior. *O que é isso, rapaz? Homens não pensam em virar pai. Já sabem como é: falam de futebol e deixam as reflexões para as meninas. Ser homem é segurar uma cerveja, contar uma piada e sair do caminho. Você não quer se tornar um desses caras sensíveis em contato com os próprios sentimentos. Vai acabar escrevendo poesias e usando gola rolê. Fica longe disso, mano.*

Por fora, eu parecia um marido atencioso ao lado de sua mulher grávida. Por dentro, porém, desencadeava-se uma batalha existencial, e uma outra voz respondeu ao Sr. Macho. *Ei, você! Me deixa em paz. Estou preocupado. Estou ansioso. Minha mulher vai dar à luz, e nem sei o que está acontecendo comigo!*

Tentei projetar calma e confiança, mas segurei a mão da Sarah com força, como minha âncora em um novo e fluido território. Conhecia cada detalhe de sua mão — as unhas, os longos dedos finos, o jeito como se encaixava na minha — desde que a segurei em nosso primeiro encontro, oito anos antes. Isto é, o primeiro encontro oficial, quando levei a Sarah a um restaurante chique e perguntei se ela queria ser minha namorada. Já tínhamos tido encontros não oficiais antes, quando saíamos sem admitir isso um ao outro.

A primeira ocasião se deu em um retiro cristão, num fim de semana em que já tinha outros planos e já tinha falado ao pessoal que não compareceria. Quando a Sarah pediu que eu reconsiderasse, dei um jeito de me livrar daqueles compromissos e ir com ela. Aí ela disse que um candidato à presidência ia palestrar em nossa universidade — um político que minha família considerava perigoso — e eu decidi ir ouvi-lo também. Depois do discurso, ela me convidou para sua casa. Cozinhou macarrão instantâneo e confidenciou que havia acabado de terminar um namoro. Eu disse que lamentava muito ouvir aquilo — que baita mentira — e achei seu macarrão maravilhoso.

Começamos a inventar desculpas para nos encontrar ou nos falar por telefone. O estudo bíblico que conduzíamos na universidade de repente precisava de muito planejamento. Uma chamada, em teoria para marcar um horário a fim de que ela me emprestasse uma calculadora, durou quatro horas. Quando ninguém mais veio ao estudo bíblico um dia, por fora fiquei triste, mas por dentro achei o máximo, e a Sarah e eu almoçamos na cantina da faculdade. Eu me abri com ela e falei que depois de cursar administração meu desejo era me tornar pastor. Ela sorriu e falou que queria trabalhar para uma organização cristã também. Arrisquei dividir com ela a informação de que haviam me recomendado uma escola de teologia no Canadá. Ela falou que tinha o mesmo plano de estudar lá depois da faculdade. Ficamos em silêncio alguns instantes, surpreendidos pela coincidência. Estava conhecendo a mulher com quem passaria o resto da minha vida?

Foi aí que tomei a coragem de ousar um pouco mais. Na época, havia uma exibição dos quadros de Renoir no Museu de Arte de São Paulo, o MASP, e aquela me pareceu ser uma boa desculpa para convidá-la para sair comigo. Ia ser de tarde, não no território "oficialmente romântico" da noite. Seria um modo também de exibir os *insights* artísticos que eu havia coletado na internet no dia anterior. Em teoria era um encontro de amigos, mas eu não convidei ninguém mais, a Sarah também não, a gente se entendeu e ficou feliz que ninguém mais apareceu.

Naquela tarde, nossas mãos se tocaram por um microssegundo. Um quadro nos fez notar que a mão direita é um espelho da mão esquerda, e deixamos as palmas de nossas mãos se tocarem rapidamente antes de retirá-las, olhando para baixo. Eu tinha me prometido que a tocaria só depois que tivéssemos falado de "nós" e começado um relacionamento sério. Meus amigos me chamaram de antiquado — "nem mesmo encostar no braço dela sem querer?" — mas mantive o propósito. Assim, depois do museu, levei a Sarah ao melhor restaurante que podia pagar, declarei meus sentimentos e perguntei se podia segurar sua mão. Ela a estendeu sobre a mesa, nos olhamos nos olhos um do outro e sorrimos.

A mão dela ainda comunicava proximidade e calor, agora que eu a segurava no hospital. Mas de repente se tornava um punho. Uma contração. Depois, outra. Cada uma, eu temia, prenunciando como o fruto de nosso amor mudaria o modo como nos amávamos.

Meus pensamentos silenciosos prosseguiram até que o obstetra da Sarah, um tio meu querido, chegou, me trazendo de volta ao que estava acontecendo. A dilatação era lenta, mas progredia, explicou o tio Aristides. Havíamos chegado ao hospital na hora certa. Ele fez um teste para medir o batimento cardíaco do bebê e nos mostrou o resultado alguns minutos depois.

— Estão vendo esta linha que vai para cima e para baixo? — disse ele, apontando para um gráfico. — Está fora do normal.

— O que isso significa? — a Sarah perguntou.

— Significa que o coraçãozinho do bebê está batendo rápido demais. Pode danificá-lo.

A Sarah e eu nos entreolhamos, o verbo "danificar" ecoando dentro de nós. Àquela altura, a Sarah já havia participado de encontros suficientes da minha família para saber que o tio Aristides era meio exagerado, como quando sua mãe pediu que ele fosse comprar pimentões, ele negociou de comprar a banca inteira da feira e a família comeu pimentões por um mês. Ou quando ele recrutou meus primos e eu para treinamentos físicos quando tínhamos uns dez anos de idade — "para nos definir", segundo ele — e nos fez fazer flexões, abdominais e cruzar um campo de futebol em posição de carrinho de mão até não aguentarmos mais. Mas agora ele não parecia exagerar e estava genuinamente preocupado.

— O que podemos fazer? — perguntei.

— Vamos repetir o teste daqui a alguns minutos. Se o batimento cardíaco continuar assim, teremos de fazer uma cesárea. Imediatamente.

A Sarah caiu no choro. O parto normal era algo que ela desejava desde o começo. Mas o bem-estar do Pietro estava em jogo. Ela foi ao banheiro enquanto aguardei o resultado do segundo teste. *O que vai acontecer com nosso filho?*, pensei. *De que tipo de "dano" estamos falando?*

Quando a Sarah voltou, o tio Aristides balançou a cabeça. O batimento não havia melhorado. Ela consentiu em proceder com a cesárea.

— Deixa eu conferir a dilatação mais uma vez — ele disse.

Aí seu rosto se animou. A Sarah tinha chegado na maternidade só com três centímetros de dilatação (dos dez necessários para o parto). Mas agora ela estava com sete, e um pouco depois com oito, e nesse ritmo poderíamos ir à sala operatória para um parto normal.

A Sarah chorou de novo, agora de alegria.

— Eu orei no banheiro! Me ajoelhei, coloquei a mão na barriga e orei.

— Verdade? — balbuciei, pensando que a mesma ideia deveria ter passado pela minha cabeça também. Eu tinha tido clareza mental suficiente apenas para ficar lá com cara de preocupado.

Uma enfermeira pediu que eu vestisse uma camisola verde; ela me chamaria no momento de me reunir à Sarah. Cinco minutos passaram. Então, outros cinco. Ouvi a Sarah me chamar, mas não me deixaram entrar na sala de parto, dizendo que ela ainda não estava pronta. Fiquei preocupado com o bem-estar da Sarah, além do do Pietro. *Ela estava bem? Por que estavam me deixando para fora?*

Quando me deixaram entrar, a Sarah já tinha enfrentado o pior da dor.

— Eu chamei você um montão de vezes!

— Eu sei. Estou aqui agora.

— O bebê está quase aqui! — disse o tio Aristides. — Empurra!

A Sarah aguentou outros quatro minutos de dor. Finalmente, ouvimos um chorinho de bebê.

Uma enfermeira nos trouxe o Pietro. Os olhos dele se esforçavam tentando absorver a luz pela primeira vez. A Sarah o segurou, chorando de novo.

— Você chegou! Esperamos tanto tempo por você. Você foi tão bem. E é tão lindo. Estamos tão orgulhosos de você. Estamos tão felizes. Eu sou a mamãe, e esse é o papai.

Acariciei a cabeça do Pietro. Era macia, com uma leve camada de cabelo. Tentei imaginar como seria nascer e encontrar o mundo naquele momento primordial em que não se tem palavras e não se pode pensar em abstrato.

— Quer falar algo, amor? — a Sarah me encorajou.

Eu sorri para o Pietro, para a Sarah, para a equipe médica, sem saber o que dizer. Uma enfermeira se aproximou e levou o Pietro para realizar testes e avaliar sua saúde. Ficamos aliviados de saber que, em todos os aspectos, ele era um menino saudável. Ligamos para a família e compartilhamos a notícia.

Quando deixei a sala de parto para procurar o Pietro pela maternidade, notei dentro de mim uma emoção agridoce. Estava grato pela saúde do Pietro e da Sarah, com toda certeza. Mas havia uma coisa de que não tinha gostado: minha reação. Por que não falei nada? Era porque meu filho não ia me entender? Vergonha de ser carinhoso diante da equipe médica?

Por alguma razão, não disse nada, e essa não era a direção que queria tomar. Meu filho merecia mais. Eu precisava de uma segunda chance.

Encontrei o Pietro deitado num berço na sala dos recém-nascidos. Um pano branco envolvia sua cabeça, e os braços e as pernas se moviam delicadamente. Segurei a mão dele e tirei uma foto para registrar nosso primeiro momento homem a homem. Então olhei para os dois lados para ver se vinha alguém, me abaixei ao lado dele e sussurrei:

— Bem-vindo ao mundo, filho.

Uma lágrima caiu no lençol branco.

— Bem-vindo ao mundo.

2
Concepção

Existem duas pessoas antes que uma terceira chegue. Crianças nascem de pais; adultos precedem o feto; vida gera vida.

Que é o meu modo meio sem jeito de dizer que tudo começa com o sexo. A Sarah e eu levamos dezoito meses para conceber, que não é um período superlongo, se comparado a casais que lutam contra a infertilidade. Mas a espera pareceu eterna a nós, jovens acostumados a alcançar metas em um mundo que nos dizia que tudo era possível. Sabíamos que a vida requer paciência e trabalho duro. Mas ainda pensávamos que, se aplicássemos todas as nossas forças mentais e emocionais a algo, um dia o alcançaríamos.

Não alcançamos, por um bom tempo. Foi uma experiência frustrante: desejar obter algo; desejar obter algo bom, uma nova vida; desejá-la junto à pessoa que você ama; desejar ver uma nova pessoa vir dela e de você. Planos feitos e dinheiro economizado e um quarto preparado. O pequeno par de sapatos que uma amiga não resistiu comprar. Os sábados relaxados que agora pareciam relaxados demais. O desafio de encontrar um filme para assistir porque você já assistiu a todos. O sentimento de que o momento chegou, de que o futuro está logo ali.

Tudo isso, aparentemente, para nada. Para algo que parece que está para acontecer, mas que não acontece e que pouco a pouco você teme que nunca vai acontecer. Algo que parecia tão natural, pessoas que nascem, o fato mais básico da vida, mas que começa a se transformar em algo elusivo e caprichoso.

Anteriormente, eu me perguntava por que casais que têm dificuldades de conceber descreviam essa dor como um tipo singular de dor. Pelo menos você é casado, eu pensava comigo mesmo. Você sofre menos do que pessoas que lutam contra doenças, injustiças e mil outros males.

É verdade. Mas depois que a Sarah e eu atravessamos esse processo e tivemos de revisar nossos planos e sonhos, com a autoestima cada vez mais para baixo, pude entender um pouco da dor que aqueles casais descreviam. É uma montanha-russa de expectativas e decepções que muda mês após mês a forma como imaginamos o futuro. É difícil administrar esses sentimentos: não queremos ser iludidos pelas esperanças, mas também não queremos ficar insensíveis no anseio de proteger o coração do desapontamento que, tememos, acontecerá vez após vez.

Como marido, muitas vezes não sabia como cuidar da Sarah. Deveria projetar confiança ou exibir meu lado frágil? Um bom marido alimentaria esperanças de gravidez ou mudaria o tema da conversa? Às vezes conseguia dar meu melhor e entrar na montanha-russa — subidas, quedas e rodopios — com ela. Outras vezes me recolhia no entorpecimento emotivo. Nas piores das vezes, eu levava o sonho de ser mãe da Sarah para o lado pessoal. *Por que você quer tanto ter um filho? Não sou suficiente para você?*

Parte dessa dor está relacionada a nosso corpo. Bebês são concebidos no encontro mais íntimo entre um homem e uma mulher — um ato lindo que nos faz sentir humanos, conectados e inteiros. Quando a dúvida invade esse ritual de amor, é doloroso. Notei nossa intimidade sexual passar de um ato espontâneo para algo planejado com intencionalidade e disciplina; de um momento que era meu e dela para um momento dedicado a uma Outra Pessoa. Ver uma linha no teste de gravidez destruía nossas expectativas e postergava a esperança de gravidez; ver duas linhas no teste de ovulação nos dizia que era hora de diversão programada.

— Hora de me engravidar, Mister — dizia a Sarah, e as carícias preliminares eram acompanhadas por vozes debatendo na minha cabeça.

Sr. Macho: "Opa! Deixa comigo!"

Sr. Sensível: "Legal, mas..."

Sr. Macho: "Mas o quê?"

Sr. Sensível: "Queria que ela estivesse interessada em mim. Ela está pensando em um *bebê*. Vamos continuar assim depois que ela engravidar?"

Sr. Macho: "Você é tão pra baixo! Não dá para curtir o momento?"

Sr. Sensível: "Estou só pensando, ok? Esse momento pode destruir o sexo para o resto da minha vida."

Sr. Macho: "Mas que drama! Sua mulher te quer, te chamou e você está reclamando?"

Sr. Sensível: "Ei! Não magoe meus sentimentos. Não consigo comparecer me sentindo assim magoado."

Sr. Macho: "Desculpa."

Três segundos de silêncio depois.

Sr. Macho: "Vamos lá ou não?"

Sr. Sensível: "Ok..."

E quando o teste de gravidez dava negativo *de novo*, tocava nervos dolorosos dentro de nós. Sentíamos que menos vida fluía em nossas veias e menos vitalidade em nosso amor. Sabíamos que existem famílias admiráveis em muitas configurações, com filhos ou sem filhos. Com o passar do tempo, porém, comecei a me sentir menos homem, ela menos mulher, e nós menos família. Palavras que nunca tínhamos cogitado um dia aplicar-se a nós vieram à mente: impotente, infértil, estéril.

Logo nossas tentativas de conceber foram dominadas por termos médicos. A Sarah passou por uma cirurgia para conferir se sofria de endometriose. A motilidade de meu esperma foi dissecada. A certa altura, parecia que ela havia feito mestrado em reprodução humana. A atmosfera fria do ar-condicionado das clínicas ginecológicas ditou o tom daqueles meses. A intimidade conjugal se tornou procriação, e a concepção de um bebê o feito de uma equipe médica.

Observando a Sarah, notei que a espera é mais dolorida para as mulheres, que sofrem o ciclo mensal em seu corpo e que anseiam sentir um bebê crescer em seu útero. Mas, seja para a mulher, seja para o homem, é uma aflição compartilhada, uma fraternidade na dor. Foi de grande ajuda entender a agonia de mulheres da Bíblia como Ana, que clamou a Deus: "Ó SENHOR dos Exércitos, se olhares com atenção para o sofrimento de tua serva, se responderes à minha oração e me deres um filho, eu o dedicarei para sempre ao SENHOR",[1] mas não achei assim tão engraçada a piada divina de pedir a uma virgem que concebesse o Salvador do mundo. Uma virgem engravidou, e nós não. Não podíamos, aparentemente. Nunca aconteceria, temíamos.

A Sarah teve certeza de estar grávida algumas vezes. Certa ocasião, estava tão confiante que daria positivo que fez o teste no dia em que encontraríamos boa parte de nossos amigos, planejou a quem ligaria em primeiro, segundo e terceiro lugar, e escolheu o vestido que usaria no dia em que finalmente anunciaria a todos que estava grávida.

O teste deu negativo. Como tinha dado antes. Como, parecia, daria sempre.

Então, quando a questão de conceber um bebê não ocupava nossa mente, aconteceu.

Tudo começou num sábado de manhã de junho — junho de 2009, para ser bem exato, no dia 20. Dirigi ao aeroporto para buscar a Sarah, que estava chegando de uma viagem de duas semanas na China. Passei perfume, comprei um buquê de flores e esperei com meu melhor sorriso, à medida que uma sucessão de rostos saia pela porta do terminal. Nunca tinha visto o aeroporto tão lotado. Europeus, árabes, americanos prontos para os trópicos em camisas floridas, alguns brasileiros no meio deles, mas nenhum chinês e nenhum sinal da Sarah.

A gripe suína daquele ano não alcançou as proporções catastróficas da Covid-19, mas, naquela altura, o medo era enorme. A preocupação coletiva crescia conforme o inverno se aproximava no Hemisfério Sul, e cada superfície poderia conter o vírus. O pavor das autoridades aumentou, novas medidas de saúde foram implementadas, e um aeroporto pouco preparado se viu em estado caótico. A fila do controle do passaporte tornou-se uma multidão sem rumo e sem regras. A seção das esteiras de bagagem acumulava tanta gente que se confundia com o começo da alfândega. Logo discussões e cotoveladas começaram a fazer crescer o nervosismo geral.

A Sarah não é o tipo de pessoa que leva isso numa boa; para ela, um vácuo de liderança é um chamado à ação. Ela foi até o meio da confusão e disse aos briguentos que se comportassem como homens. Eles se calmaram. Ela chamou a atenção da multidão, organizou filas e pediu aos funcionários do aeroporto que as mantivessem em ordem. O fato de Sarah ser uma mulher jovem e bonita não atrapalha; na verdade, ajuda. Um homem naquele contexto poderia sofrer uma reação forte, quem sabe resultando num olho roxo. Mas quando as pessoas veem a Sarah subindo na esteira das bagagens e dando instruções, quem vai dizer não? É um espetáculo. Quando ela finalmente passou pela alfândega, o caos já não era tão caótico assim. Ela recebeu minhas flores com um sorriso.

Caminhamos até o carro e saímos do estacionamento. Mas, quando chegamos à avenida, dirigir até o outro lado de São Paulo pareceu demorado demais. As coisas começaram — como posso dizer? — a esquentar. Não sabíamos o que fazer, até que lembramos que no Brasil há motéis por toda parte. Para mim, sempre pareceram lugares de mutretas, escapadas e traições, mas naquele momento um deles se transformou em uma dádiva para um casal virgem-até-o-casamento, completamente fiel como nós.

A recepcionista estava mastigando chiclete.

— Aqui está a chave. Quarto doze, à esquerda.

Mais ou menos um mês depois, a Sarah fez um pedido incomum: queria comer hambúrguer. Estávamos no Rio de Janeiro, depois de palestrarmos num evento naquela cidade. Já era metade da tarde, e eu estava faminto. O fato de que a Sarah tinha começado a sentir-se enjoada e vomitar em algumas manhãs deveria ter me dado a dica, mas, naquele momento, pensei que seu desejo de um hambúrguer era tão somente desejo de comer hambúrguer.

Passamos por uma padaria, mas ela não quis parar. Também não aceitou esfihas, sushi ou restaurantes por quilo. *Ela. Iria. Comer. Hambúrguer.*

Tentei satisfazer seu desejo pelo máximo de tempo que consegui, mas quando enfim chegaram as três da tarde, parei no primeiro lugar com comida que encontrei, uma lanchonete natureba de comidas orgânicas que os cariocas adoram, pedi um *croissant* de queijo, uma torta de frango e um suco de laranja, e devorei tudo. Sou *eu* que fico mal-humorado quando tenho fome, no final das contas. Fiquei feliz de ter enchido o estômago, com culpa por ter feito algo meio egoísta e intrigado pela persistência e pela especificidade de seu pedido. *Por que ela queria tanto um hambúrguer?*

Dirigimos para o Corcovado e visitamos o Cristo Redentor. Lá em cima havia uma cantina que enfim satisfez o desejo da Sarah. Ela segurou o hambúrguer com todo o carinho, encheu de *ketchup* e o comeu com um baita sorriso.

Com seu desejo estranho satisfeito, ficamos em paz e admiramos a cidade, as praias e os arquipélagos à nossa frente. Contemplar um dos panoramas mais lindos do mundo nos inspirou a falar do passado e a conversar sobre planos futuros. Mas, junto à ternura de nossas memórias e sonhos de vida, havia uma outra coisa. Recordamos também as visitas a especialistas em fertilidade, as conversas com casais que não puderam conceber e a primeira menção da adoção. Nossas esperanças como família aguardavam a conquista de um obstáculo insuperável. Sentíamos que estávamos *tentando,* mas não obtendo sucesso, não só quanto a ter um bebê, mas também a todo o resto.

Na viagem de volta a São Paulo, a Sarah ficou enjoada. Eu já tinha precisado parar o carro durante a ida ao Rio para que ela vomitasse. Mas também tinha dito que ela não nutrisse expectativas, mesmo que seu ciclo estivesse atrasado. Lembre-se das vezes que você tinha certeza de estar grávida, eu disse. Não deveríamos antecipar nada.

Chegamos a São Paulo no final do dia. Estava chovendo e frio. Paramos numa farmácia para tirar a dúvida e compramos um teste de gravidez. Eu andei para lá e para cá no corredor das escovas de dente, acumulando forças para consolar a Sarah quando ela saísse do banheiro. Eu a abraçaria. Diria que estava tudo bem. Na próxima vez iria dar certo. Conte comigo. Temos um ao outro.

Três minutos depois, ela apareceu em lágrimas — e com um grande sorriso. Eu conferi o teste: duas linhas, em vez de uma. Fiquei atônito, mal podia acreditar. Lá estava nossa gravidez. A espera, as orações, a desconfiança da expectativa haviam acabado. Agora, uma espera diferente e mais feliz começava.

Meu primeiro sentimento foi de alívio. Um objetivo muito desejado foi conquistado. Senti-me vitorioso depois de uma luta e do término de um período de dor. A insegurança que sentíamos ao longo de meses havia passado. Não veria mais minha esposa sofrer com aquilo.

Foi então que minha mente pensou no bebê. Era difícil acreditar que uma pessoa estava a caminho, tendo como frágil garantia um pedaço de plástico comprado numa farmácia. Como seria nossa criança? Como eu reagiria quando ele ou ela fosse colocado em meus braços?

Aí me toquei que me tornaria pai. *Eu*, um pai? Essa palavra cheia de significado seria aplicada a mim? Esse papo de ter um filho era *pra valer*?

3
Ataque de pânico

AQUELE PENSAMENTO me alarmou. Quando eu imaginava a Sarah grávida, estava tudo bem. Mas quando tirava a máscara de marido responsável e era honesto comigo mesmo, encontrei sentimentos que me assustaram. Não tinha certeza se estava pronto para ser pai, nem mesmo se *queria* um filho.

À medida que a Sarah passava por meses para conceber e em seguida meses para gestar, eu também sentia minhas entranhas se remoendo: medo de novas responsabilidades e dinâmicas familiares; dúvidas sobre se estava chegando cedo demais; ressentimento de ter minha esfera pessoal invadida por outra pessoa; culpa de não ser a pessoa generosa que gostaria de ser; vergonha de sentir tudo isso. Ficava irritado com a notícia da gravidez, depois ficava alegre, depois não sabia desembaraçar o nó de sentimentos contraditórios dentro de mim.

Meus pais contam uma história de quando eu tinha 4 anos e minha irmã, 2. Ela queria brincar com meus animaizinhos de plástico, mas eu defendia minha fazendinha e a escondia dela. A disputa persistia até que minha mãe me deu um ultimato: ou eu dividia os brinquedos com minha irmã, ou ela guardaria a fazendinha em cima do armário durante seis meses. Foi um dilema fácil para minha mente de criança: pode guardar a fazendinha, então. Por que brincar e dividir quando você pode não brincar e *não dividir*? Brinquei sozinho, sem irmã e sem brinquedos, por seis meses, feliz de não ter compartilhado minha fazendinha.

Agora que um feto dobrava de tamanho de pouco em pouco tempo, eu sabia que um bebê iria mais uma vez estragar minhas brincadeiras. Alguma ambição teria de ir para cima do armário; teria de criar espaço para um novo tipo de amor paterno. Os sonhos e objetivos que eram pontos de referência em meu mundo não permaneceriam inalterados.

O primeiro aspecto de minha identidade de que eu não queria abrir mão era meu senso de juventude. Sim, eu era casado. E, sim, fazia a barba e tinha uma conta no banco. Mas lá dentro eu ainda me considerava uma pessoa *jovem*: alguém que poderia experimentar a vida e se divertir, que tinha mais dias à frente do que atrás. Um filho marcaria o começo definitivo da vida adulta que parte de mim, agora eu percebia, ainda queria postergar.

Senti que um bebê atrapalharia meu crescimento pessoal, também. É uma contradição, eu sei, mas por anos eu vinha trabalhando no intuito de podar minhas limitações e cultivar meus talentos. Pensei que cuidar de uma criança me distrairia de meu desenvolvimento pessoal, não fazendo ideia de que nada impulsiona o crescimento quanto ter um filho. Estava para receber uma dádiva sem igual enquanto a procurava em tantos outros lugares.

Outro aspecto dessa questão era a idade. A Sarah e eu nos conhecemos quando eu tinha 18 anos, nos casamos antes que eu completasse 23 e começamos a tentar engravidar três anos depois, quando ainda estávamos estudando. Atuei como voluntário e em empregos de meio período ao longo de vários desses anos, mas parte de mim ainda sonhava com o dia em que me formaria e dedicaria todas as minhas energias à construção de algo relevante. Eu havia estudado a vida inteira. Quando finalmente chegaria o momento de implementar as ideias que me fascinavam, *béééhhh*, soaria o alarme: era A Hora da Criança. E os meus planos e sonhos? E a insegurança que a meu ver eu só poderia curar com a realização de metas impressionantes?

Havia ainda a questão do tempo. Para alguém que ansiava fazer render cada hora útil, alguns momentos diários de exercício de paternidade pareciam um sacrifício hercúleo. O tempo nunca é suficiente para quem tem tantas atividades para realizar, habilidades para adquirir e metas para alcançar. Honestamente, um bebê parecia um malabarismo a mais — e um não estritamente necessário. Como poderia me tornar um pai se estava mais preocupado em ser um pai para mim mesmo?

Sentia essa vontade de trabalhar, em parte, porque não seria um emprego só para pagar as contas no final do mês. Era para me dedicar a coisas em que acreditava: aconselhar pessoas em dificuldade, compartilhar minha fé e declarar "Pode beijar a noiva" em casamentos. Parte de mim queria só se provar, obviamente. Mas outra parte queria, de fato, seguir o chamado que sentia havia muito tempo.

Fui um menino tímido e inseguro. Amava livros e a escola, mas não me sentia completamente à vontade fora da sala de aula. Quando chegava o intervalo e os meninos escolhiam os melhores para jogar futebol, eu era sempre um dos últimos a ser chamados. Também não era um dos rapazes que, chegado o tempo da puberdade, ousavam conversar com as meninas. Quando tocavam músicas lentas nas festinhas de garagem na casa da Wendy, eu me sentava no banco dos meninos que observavam, mas que não tinham coragem de convidar uma menina para dançar.

Meu constrangimento pré-adolescente atingiu um ponto crítico aos 12 anos, quando participei de uma viagem de quarenta dias à Alemanha que o colégio havia organizado. Berlim, Munique e os trens-bala foram uma aventura, mas sofri *bullying* de outros garotos. Algumas semanas depois, meu melhor amigo à época passou para o lado deles. Estando em um país estrangeiro e longe da família, não sabia com quem conversar. Então, um dia, fugi: sai do albergue onde estávamos e caminhei por horas ao longo do rio em Colônia. Chorei e abri o coração a Deus. E ele me respondeu. Não lembro exatamente qual foi a resposta, só que voltei ao albergue em paz.

Daquele momento em diante, minha fé começou a fazer muito sentido. Jesus me amava por quem eu era, incluindo a timidez e as limitações; a graça de Deus, não a minha insegurança, tornava-se agora meu novo ponto de partida. Fui tocado pelos sermões que ouvia na igreja que minha família frequentava, sermões em que as palavras eram usadas para afirmar, ensinar e inspirar, e pelo calor transmitidos pelas amizades, mentores e família ampla que me rodeavam. Quando deixava a rotina e ia para acampamentos cristãos nas férias, sentia um companheirismo que não encontrava em nenhum outro lugar, bem como o primeiro gostinho de responsabilidade. Esfregar panelas e lavar banheiros eram tarefas pouco estimadas fora do acampamento, mas ali eram tarefas cobiçadas: representavam confiança, crescimento — e um modo de impressionar as meninas.

Minha fé também ampliou meu mundo privilegiado de classe média: visitamos favelas, uma tribo na Amazônia e as regiões mais deterioradas de minha cidade. Levar refeições prontas a pessoas sem-teto no centro de São Paulo nas noites de sexta-feira, sentar ao lado de homens que moravam em caixas de papelão e ouvir suas histórias, tudo isso me marcou profundamente. Muitos tinham tido emprego, família e uma vida normal, mas algo tinha dado errado. Haviam perdido o emprego, a mulher e os filhos não queriam mais saber deles, e agora não estavam interessados no programa de reabilitação que nós lhes apresentávamos. *Por quê?*, eu me perguntava. *O que aconteceu?* Uma noite a Mariana, uma amiga de 13 anos, me procurou aos prantos. Perguntei a ela o que havia acontecido. Ela falou que tinha conversado com uma mulher que esperava algo na calçada. A Mariana perguntou o que ela estava fazendo; a mulher respondeu que estava trabalhando. A Mariana perguntou o que ela fazia, e a mulher respondeu que era prostituta. A Mariana não soube o que responder e voltou ao nosso grupo, assustada. A cena toda fez com que eu me sentisse em uma dimensão acelerada do espaço-tempo, fazendo parte desse grupo de adolescentes que conversavam com homens derrotados pela vida e mulheres prostitutas à beira da calçada às duas da manhã no centro de São Paulo. Que outro modo melhor de passar as madrugadas de sexta-feira? Quando chegou a hora de voltar para casa, tirar as roupas que fediam a urina e tomar um banho às quatro da manhã, notei um sorriso dominando meu rosto. O sorriso de um jovem que se apaixonava — por Deus e pelas pessoas e pelas infinitas complicações que acontecem ao longo do caminho. A humanidade era mais fascinante do que eu havia imaginado. Seus dramas não me assustavam; para mim eram um desafio, um chamado. Não sabia o que poderia fazer para ajudar, só sabia que aquela era a vida real, e era linda, e eu iria pôr a mão na massa de algum modo.

Aos 16 anos, o menino tímido havia se transformado em um adolescente com ideias claras e muita impaciência: eu me tornaria um pastor e ofereceria aos outros essa mesma mistura de fé em Deus, comunidade e horizontes mais vastos que tanto havia me marcado. Na prática, queria dizer que, na época em que a Sarah e eu tínhamos nos conhecido, namorado, casado e começado a falar de ter filhos, dez anos haviam se passado desde meu chamado. Eu tinha esperado *muito*. Tinha ido à universidade, feito vários estágios e me mudado para o Canadá a fim de estudar teologia. Agora era hora de traduzir minha formação em ação. Um bebê não fazia parte dos planos, pelo menos não ainda. Se pudesse ser honesto com Deus, diria: *Senhor, fiz a minha parte! Agora, me dá pelo menos uns dois anos de luta jovem e frenética pelo evangelho antes de um filho chegar.*

Por vezes eu me dizia: Para com isso, mano. Você está com medo de uma *criança*? Outras vezes, porém, eu sentia que uma criança seria mais do que uma criança. Seu rostinho seria como um espelho, e fiquei assustado com o retrato desfigurado que vislumbrei quando olhava para aquele espelho.

CONSEGUI OCULTAR essa agitação de sentimentos por bastante tempo. Uma noite, porém, eles transbordaram. A Sarah e eu estávamos em nosso apartamento em Vancouver, no Canadá, onde moramos durante nosso mestrado. Estávamos deitados na cama, conversando antes de dormir. Tomei a coragem de reacender as luzes.

— Senta um pouco. Quero te dizer uma coisa.

— Estou bem assim — ela falou.

— Não, senta. É importante.

— Está tudo bem? — ela perguntou, levantando.

— Na verdade, não acho que está tudo bem. Sabe essa história toda de termos um filho?

— Sim?

— É que... Eu... Eu não tenho certeza. Não sei se quero.

A Sarah ficou surpresa por me ouvir reabrir um tema que já tínhamos decidido havia muito tempo.

— Do que você está falando? A gente concordou em ter filhos. Você falou que queria filhos, também.

— Eu sei. Acho que falei porque é o que as pessoas fazem. Porque sabia que você queria. Mas não sei, não.

Olhei para baixo, ainda tentando encontrar palavras para o que queria dizer.

— É por causa da falta de tempo? — ela perguntou.

— Um pouco. Crianças tomam muito tempo. Dá para fazer tanta coisa sem elas.

— Então você quer usar todo o seu tempo para você mesmo?

— Não. Sim. Quero ter tempo com você também, é claro. Mas também quero trabalhar, ler...

A Sarah me interrompeu, o tom da conversa aumentando.

— Mas você lê tanto! Olha para aqueles livros! Estamos estudando de manhã, de tarde e de noite. Você vai ter lido um montão até a formatura.

— Eu sei, mas a questão é... enfim, o que estou tentando dizer é que concordo em ter filhos se você cuidar deles e eu... eu ajudo um pouco.

Isso mesmo: lancei uma bomba em nosso leito matrimonial e no coração de nossa dinâmica como casal. A Sarah e eu nunca tínhamos funcionado assim. Tínhamos sempre compartilhado as tarefas igualmente. Dividíamos a limpeza, e eu fazia as compras, cozinhava e lavava as roupas. Era um modo de demonstrar afeto por ela e canalizar minha mania de produtividade para algo útil, mesmo que fosse lavar pratos. Eu tinha sempre desejado uma mulher que trabalhasse e tivesse uma carreira, por mais válido e admirável que seja o trabalho como esposa e mãe em tempo integral. Conhecia casais que preferiam essa dinâmica, como a Cristine, uma amiga de infância que havia iniciado um *blog* sobre maternidade cuja primeira postagem trazia o título "Mãe o tempo todo, esposa o tempo todo, adorando tudo o tempo todo!". Eu, porém, havia crescido de outra maneira e queria um casamento parecido com o de meus pais, que são médicos. Amava ver a Sarah exercer impacto sobre as pessoas à sua volta. Queria que ela tivesse oportunidades iguais na vida e estava feliz de dividir as tarefas em casa para que ela trabalhasse tanto quanto eu. O brilho nos olhos dela quando narrava seu dia compensava tudo.

Agora, porém, que as tarefas domésticas aumentariam e, além da limpeza e da cozinha, teríamos pessoinhas que falam, pedem coisas e levam anos para educar, achei que o preço havia ficado alto demais, que brinquedos demais seriam colocados em cima do armário. Mas sabia que jogar a maior parte das responsabilidades domésticas em cima dela traria uma fratura na nossa dinâmica, e ela também sabia.

— Você está dizendo que concorda em ter filhos desde que *eu* cuide deles? (A Sarah tem um jeito de enfatizar minhas besteiras usando perguntas retóricas.)

— Sim.

— E você acha isso justo?

— Sei que não é justo. Mas crianças demandam tempo. Quero ter tempo para minhas coisas.

— Se é assim, você tinha que ter falado antes! Tinha que ter casado com a Cristine ou alguém do tipo.

— Mas eu gosto de *você.*

— Eu não sou a Cristine, e você sabe disso. Vou tomar conta das crianças, mas você tem que tomar conta delas também. Não pode ser um pai ausente.

— Não quero ser um pai ausente. Quero ser um bom pai...

Ela respirou fundo e pegou na minha mão, sobrepondo-se à minha ansiedade.

— Você vai ser um *ótimo* pai.

— Você acha?

— Vai aprender aos poucos.

— Vou tentar. Mas fico preocupado de não ter tempo para trabalhar.

— Vou dar o meu melhor para te dar espaço, mas você tem que ajudar também.

— Eu vou ajudar. Eu quero ajudar.

— Você ajuda bastante. Obrigado pelas compras hoje e pelo xampu que você trouxe.

— Viu? Sabia que estava faltando.

Ela me deu o abraço de que precisava. Podia ver minha insegurança melhor do que eu.

— Deixa eu te fazer uma pergunta — ela continuou. — Se você não fosse casado comigo, não teria muito mais tempo para suas coisas?

— Sim.

— Poderia ler mais. Trabalhar à noite e nos fins de semana. Não teria que me ouvir o tempo todo.

— É verdade — falei sorrindo.

— Eu tomo tempo, eu sei. — Então ela chegou mais perto, apoiou a cabeça no meu peito e olhou para cima. — Mas você não adora cada minuto?

Abri um grande sorriso.

— *Amo* passar tempo com você.

— Vai ser a mesma coisa com nossos filhos. Vão tomar tempo, mas você vai amar.

Foi uma frase e tanto. A Sarah demandava tempo, mas eu não trocaria um minuto com ela por nenhuma outra coisa. Fez sentido imaginar que me sentiria do mesmo modo com meus filhos e adoraria estar com eles.

Com o tempo, porém, percebi que precisava de algo mais. A conversa com a Sarah me deu perspectiva sobre o tempo gasto com as crianças, mas não sobre *por que* eu queria tanto trabalhar e ler. Não desarmou meu medo de insignificância, meu desejo de viver o chamado e minha necessidade de realizações para ser aceitável a mim mesmo.

Por uma feliz casualidade, Albert Einstein me deu essa confiança.

Era uma tarde rabugenta, depois que eu havia discutido com a Sarah por um motivo bobo. Fechei-me no quarto que seria do Pietro e naveguei na internet, buscando algo que acalmasse meu estresse. As tragédias e as fofocas daquele dia não ajudaram, até que abri o *site* da revista *Time*. Por alguma razão, havia ali em destaque um artigo de 1955 intitulado "A morte de um gênio". Era o obituário escrito logo após a morte de Einstein, ao lado das notícias da semana.

Cliquei no obituário e comecei a ler. Era cheio de prosa antiquada e afirmações grandiosas, dignas da solenidade da ocasião. Apresentava Einstein como um homem que "avançou ousadamente junto aos grandes da história", como Pitágoras, Arquimedes, Copérnico e Isaac Newton. Descrevia um gênio que "parecia brilhar naquele rosto triste e enrugado, com sua auréola bagunçada de cabelos brancos e seus comoventes olhos castanhos".[2]

Adorei o artigo. Era uma ocasião para afirmações sublimes e elogiosas a respeito de um gênio tão reconhecido que as nuanças podiam ser deixadas de lado. "Einstein viajou em esplendor solitário para as encruzilhadas do visível e do invisível", continuava o tributo. Entre declarações elogiosas do presidente norte-americano Eisenhower e do órgão de comunicação soviético *Pravda*, o filósofo inglês Bertrand Russell era citado afirmando que a teoria da relatividade de Einstein "era provavelmente a maior conquista sintética do intelecto humano até o momento presente".

Reclinei-me contra a parede, achando graça naquilo. Pouco a pouco, uma pompa reminiscente de uma noite de gala dos anos 1950 abriu um sorriso no meu rosto. O sorriso tornou-se risada audível quando o cientista vencedor do Prêmio Nobel era descrito como um homem desatento que certa vez entrou no restaurante de um cruzeiro trajando pijamas. Em outra ocasião, Einstein "usou um cheque de 1.500 dólares como marcador de livro, e então perdeu o livro".

Mas o trecho que me falou à alma foi um parágrafo sobre a juventude de Einstein, mais ou menos na metade do artigo. Para alguém que alcançou tamanha envergadura, era curioso imaginar o grande Albert Einstein como um estudante *nerd* da Escola Politécnica de Zurique. Ele se casou com uma companheira intelectual, a matemática Mileva Marie, e eles tiveram um filho. Einstein tinha um emprego monótono, examinando arquivos de patentes no Escritório Suíço de Patentes, a fim de sustentar a família. Mas sua mente voava atrás de teorias da física e lógicas abstratas. Durante o trabalho, rabiscava fórmulas matemáticas em pedaços de papel e os colocava no bolso para reflexões futuras. Era uma cena curiosa de imaginar: os primeiros passos rumo a descobertas brilhantes para nós que conhecemos a trajetória das teorias de Einstein, mas uma cena que deveria ser meio patética para seus colegas de escritório, ver os rabiscos incompreensíveis escritos de vez em quando pelo colega distraído.

Aí veio a frase pela qual eu ansiava. "De noite, ele podia ser visto empurrando uma carruagem de bebê pelas ruas, parando aqui e ali para anotar filas de símbolos matemáticos." Minha visão embaçou, uma lágrima escorreu pela minha face e parei de ler. Aquela frase capturava a incongruência que eu vinha sentindo. Era ridículo, engraçado e redentor — tudo ao mesmo tempo — imaginar Einstein empurrando um carrinho de bebê e rabiscando os teoremas que um dia redefiniriam a física moderna. Era uma cena tragicômica, o peso do dever cotidiano carregado por um intelecto que sonhava com a velocidade da luz, mas que precisava dar atenção às praticidades da vida em família. A expressão "empurrando uma carruagem de bebê" conferiu àquela cena a atmosfera de uma fotografia amarelada e adorável — imaginar um daqueles antiquados carrinhos de bebê com rodas imensas e finas como a de bicicletas, contra um pano de fundo do começo do século 20 de senhores com gravatas, chapéus e bigodes.

Foi um momento de libertação para mim. Fez com que eu risse de minha impaciência e percebesse que até o próprio Albert Einstein sentiu o que eu estava sentindo. Eu também tinha algumas ideias que queria desenvolver um dia. Eu também desperdiçaria parte do meu potencial assistindo a desenhos animados que ensinam o nome das cores. Reconheci uma parte de mim naquela velha fotografia, a parte que precisava de um banho de benevolência: minha inquietude, meus planos profissionais e meu medo de insignificância. Foi uma cena redentora, que dizia: *Está tudo bem. Vai ser só uma fase. Acontece com tanta gente. Um dia você vai ter tempo para suas ideias.*

Contemplar Einstein empurrando um carrinho de bebê enquanto sonhava com a física me tocou, sobretudo, porque não desprezou minhas emoções. Não me disse algo do tipo: *Não seja bobo. Você não sabe que tudo o que importa na vida são os filhos e a família?* Em vez de anular minha vontade de realizar e contribuir, mostrou uma coexistência desajeitada de trabalho e família, sonhos futuros e responsabilidades presentes. Indicou que mesmo no auge do fardo doméstico, quando as crianças são pequenas, o trabalho é um tédio e o dinheiro é curto, a nossa vocação não deve morrer.

Em vez disso, aquela cena bizarra me disse: *Empurre seu carrinho, mas rabisque também seus pensamentos. Não pense que serão desperdiçados porque você não tem o tempo ou a energia necessários para desenvolvê-los. Agora são só rabiscos. São pedaços de papel que você talvez coloque dentro de um livro e aí perca o livro. Mas talvez sejam importantes. Quem sabe um diria redefinirão como as pessoas veem o mundo. Acredite nas suas coisas, rapaz. Não deixe esses momentos de inspiração passar.*

Coloquei o computador de lado. Mal podia me lembrar da física do ensino médio. Mas podia enfrentar essa. Podia empurrar meu carrinho de bebê. Meus sonhos vocacionais seriam secundários por um tempo, mas não seriam negados; seriam colocados em cima do armário, mas um dia voltariam para baixo. Iria escrever meus rabiscos para etapas futuras, mas não perderia a dádiva que estava para receber.

Senhoras e senhores, chega de melodrama. Me deem logo esse bebê.

4
Exaustão encantada

LÁ ESTAVA ELE, dormindo no berço do hospital. Nossos planos de gravidez, a superação de meus medos, as dores e surpresas do parto — tudo aquilo se transformou em um pequeno ser. Ao nosso lado, no quarto da maternidade, dormia um bebê cujo corpo era leve, mas cuja existência tinha o peso do mundo para nós.

Sempre achei que recém-nascidos — fracos, enrugados e inchados pelas contrações — são meio feinhos. O Pietro, todavia, era uma exceção. Era bonitão desde o começo. Mais que isso: era luz, calor e vida. Olhos grandes, bochechas macias e dedinhos tão pequenos que segurá-los era como segurar a brisa da manhã. Ele dormia com os braços para cima, ao lado das orelhas, que chamamos a posição do Super-Homem, debaixo de um cobertor tão macio que eu queria entrar ali embaixo e sentir aquela pequena existência ao lado da minha.

Os amigos e os parentes que nos visitaram na maternidade tinham opiniões variadas sobre com quem ele parecia: alguns diziam que comigo, outros diziam que com a Sarah, ou com um dos avós, até mesmo com um bisavô. Eu achei que ele tinha a boca da Sarah e o jeito dela de olhar com o canto dos olhos, que me marcou desde a primeira vez que a vi e fui tomado por sua presença e sorriso.

Parte do charme do Pietro se devia a nosso estupor, depois da noite com pouco sono antes do parto e nossa primeira noite com ele, quando a Sarah me acordou às três da manhã para, em suas palavras, "discutir a estratégia". Resmunguei que havíamos planejado durante meses como cuidar do Pietro. Se ela queria que eu *executasse* a estratégia, tudo bem. Mas, do contrário, me deixe dormir porque estou acabado.

Nossos primeiros momentos com o Pietro nos trouxeram mais significado por minuto do que qualquer outra coisa que tínhamos vivido. Eu me senti atropelado por um trem de um quilômetro de comprimento, também. Era um tipo de exaustão encantada: tanta gratidão e doçura e maravilha, mas vigor limitado para saboreá-las. A mente queria estar ligada sempre, capturar cada detalhe e aproveitar cada momento. O corpo, uma noite de descanso seguida por uma massagem e um dia de molho numa banheira quentinha. Meu diálogo interior era mais ou menos assim:

Sr. Sensível: "Olha só! Sinta isso! Vamos lá!"

Sr. Macho: "Ok, só me dá um minutinho."

A coisa que mais me marcou no primeiro dia de vida do Pietro, mais do que sua aparência ou algo que ele tenha me feito sentir, foi simplesmente o fato de que ele estava lá. Uma gestação de nove meses deveria ter me preparado, mas, para falar a verdade, ele me surpreendeu. Não estava pronto para a chegada de um novo *ser*. Foi uma percepção encantadora: que a vida começa; que pessoas que não existiam passam a existir; que algo grande e generoso tinha acontecido; que um mundo de futuras experiências, amores e memórias tinha nascido bem diante de meus olhos. Eu sabia que tantas pessoas nascem e morrem a cada dia, mas, a exemplo de alguém que, embora saiba que as pessoas morrem, só se dá conta disso de fato quando um amigo falece, fiquei assombrado pelo fato de que uma nova vida começa, de um dia para o outro. Nada antes, algo depois. Duas pessoas, aí três. Um berço vazio, então um com um menininho respirando.

Que esse menininho fosse meu filho parecia ser um detalhe, e um detalhe meio enganoso, pois eu não era responsável por *aquilo*. Não podia tomar crédito por um ser humano perfeitamente formado e por seu sistema nervoso e suas células que se multiplicavam. Era um participante em algo muito maior, uma testemunha de um mundo cheio de beleza e benevolência.

A EXISTÊNCIA DO PIETRO me veio de novo à mente quando, no dia seguinte, saí da maternidade para emitir seu certificado de nascimento. Levei uma declaração da enfermeira para o cartório, contei a eles o que havia acontecido e, surpreendentemente, eles acreditaram em mim. Depois de alguns minutos, segurava um documento oficial com o nome do Pietro e a data de seu nascimento. Senti tanto orgulho segurando aquele certificado. Sim, a Sarah o deu à luz, mas *eu* tinha garantido a documentação oficial. Uma vida de passaportes, carta de motorista e cidadania democrática aconteceria graças ao papel que eu segurava. Se um dia o Pietro fosse um candidato político, poderia dizer, "Tudo começou no dia em que meu pai emitiu meu certificado de nascimento...".

A existência do Pietro foi confirmada novamente quando saímos do hospital e o levamos ao céu aberto e ao nosso carro. Foi outra surpresa que nos assustou: ele tinha saído do útero, do hospital, e sobrevivido! Não sei se achava que ele iria derreter ou se ainda estávamos chocados pelos eventos dos últimos dias, mas aquele fato prosaico me pareceu espantoso: ele *realmente* existia.

Nós o colocamos na cadeirinha do carro, dirigimos para fora do estacionamento e logo chegaram as complicações. "Eita", disse a Sarah. Precisávamos trocar a fralda. E agora?

Nunca tínhamos trocado uma fralda no Mundo Real antes. Avistei à frente um McDonald's. Pareceu mais limpo do que o nosso carro ou outros estabelecimentos naquela região. Levamos o Pietro para lá, mas não havia trocador no banheiro. Aquele objeto nunca tinha chamado minha atenção antes, mas de repente se tornou essencial. Uma mesa numa das pontas não parecia a superfície ideal para trocar uma fralda, mas não conseguimos pensar em um lugar melhor. A Sarah e eu fizemos um círculo em torno do Pietro para não estragar a refeição das pessoas e o trocamos ali. Não foi um ato digno de prêmios de parentalidade, mas resolveu o problema. E me premiei com umas batatinhas bem crocantes.

O PRIMEIRO LAR do Pietro foi a casa de campo de minha família em Atibaia, cidade a mais ou menos uma hora de São Paulo. Quando chegamos, o sol estava pousando sobre o lago na frente da casa e tudo era amarelo. A Sarah pegou o Pietro, subimos as escadas até seu quarto e o colocamos num cercadinho verde e azul em cima da cama. O Pietro observou seu entorno, tentando entender os raios de sol entrando pela janela, depois da escuridão do útero e da branquidão do hospital. No quarto, havia um trocador e uma banheirinha, uma mesa de cabeceira com panos, sabão e fraldas, roupas de bebê nas gavetas, animais de pelúcia da minha infância em cima da cama e uma placa na porta — o nome "Pietro" ao lado de pegadas de cachorro — preparada pela irmã mais nova da Sarah.

Decidimos passar as primeiras semanas do Pietro naquela casa devido a seu espaço e tranquilidade. Depois que chegamos com ele, a sensação era também como a de trazê-lo para um útero de família. Ali passei os verões de minha juventude, quando as conversas com os amigos evoluíram de *videogames* para bandas preferidas para confissões sobre as meninas e planos de carreira. Ali minha família celebrava o Natal com churrasco, melancia e um dos primos vestidos de Papai Noel. Ali minha mãe um dia desceu as escadas pálida e gemendo, pedindo ajuda, falando que estava morrendo, e corremos para junto dela, que se deitou no chão, segurou uma vela como num caixão e começou a rir. Dissemos que com a morte não se brinca, antes de dar risada e parabenizá-la pela pegadinha bem executada. Era uma casa povoada por memórias agora ressuscitadas e renovadas graças à chegada de uma nova geração.

O Pietro começou a reclamar e agitar os bracinhos. Olhamos para o relógio: cinco da tarde, hora de mamar. Essa era nossa nova medida de tempo: o ritmo implacável de um recém-nascido que mama, brinca e dorme mais ou menos a cada três horas. Tornou-se a estrutura de nossos dias; não uma regra beneditina mas pietrina, ainda mais severa.

No final do dia, colocávamos o Pietro numa daquelas bolsas em estilo marsupial que permitem à pessoa levar o bebê junto ao peito como um canguru e caminhávamos ao redor do lago. Ele observava tudo: os pais, as árvores, as luzes que começavam a se acender e iluminar trechos da rua de terra. Era um banquete de estímulos para ele — o ritmo da minha caminhada, o cheiro dos eucaliptos e do lago, o canto das cigarras, as cores do pôr do sol e nossas vozes que dançavam sobre sua cabeça. Ele fazia barulhos também, tentando participar da conversa, até que seu corpo se abandonava em exaustão.

— Olha só, ele dormiu — eu disse na nossa primeira caminhada. — Melhor voltar para casa?

— Deixa ele dormir, acho — a Sarah respondeu, segurando minha mão. — Podemos ter uns momentos juntos.

— Boa ideia.

Nossos pensamentos eram simples e nossas frases curtas. O mundo da mente parecia remoto, em virtude da fisicalidade daqueles primeiros dias. As urgências do presente faziam com que o passado recente parecesse muito distante e engoliam qualquer cenário futuro que não envolvesse necessidades primárias, fraldas e cansaço indescritível. Estávamos em modo de sobrevivência.

Voltamos para casa, colocamos o Pietro no berço e conseguimos aproveitar uma refeição inteira sozinhos. Em seguida, acendemos a lareira e assistimos a suas chamas com a mente anestesiada e o coração grato.

Quando o Pietro acordou, a Sarah subiu as escadas para amamentá-lo. Eu estava cansado demais para acompanhá-la, então fiquei deitado no sofá em estado de semicoma. Era o acordo: ela o amamentava e eu dava banho e brincava com ele.

Que momentos deliciosos! Nunca tinha sentido tanta gratidão com um pouco de descanso, depois da adrenalina do parto e das dezenas de coisas que se tem de pensar, segurar ou levantar quando está com um recém-nascido. Se você pudesse escanear meus pensamentos, não encontraria nada. Talvez uma bolinha indo de um lado para o outro, como em um descanso de tela.

Observei as chamas da lareira subirem uma depois da outra. Eram amarelas, laranjas, vermelhas e brilhavam com um azul resplandecente quando eu arremessava uma das pinhas que havíamos trazido da caminhada ao redor do lago. O cheiro da madeira queimada exprimia como eu me sentia: tostado e consumido.

Vinte minutos depois, a Sarah trouxe o Pietro amamentado e pronto para a ação. Reuni as forças que ainda tinha.

— Vamos lá, parceiro. Hora de tomar banho.

Apoiei-o contra o ombro enquanto a Sarah se jogou no sofá.

— Que *delícia*... — suspirou.

— Nem me fale. Coloca uma pinha ali. É bem legal.

— Que nada — ela respondeu, fechando os olhos e apoiando o antebraço na testa. — Quero só descansar.

Levei o Pietro de volta para cima, e ele estava ultradesperto. Olhava tudo com atenção, fitando cada detalhe como se nele contivesse o segredo do entendimento: o interruptor, minha camiseta, o canto do quarto. Coloquei-o no cercadinho e preparei o banho. Peguei tudo de que achei que precisava: sabonete neutro, cotonete e um frasco de álcool rosa para limpar o umbigo, xampu de bebê, um pijaminha para a noite, meias, toalha e um barquinho de plástico para ele brincar.

Quando ele percebeu que era hora de tomar banho, gritou com todas as forças, bem debaixo de meu ouvido. Então exalou todo o ar, fechou os olhos, contraiu o queixo e espremeu os lábios um contra o outro. Era uma expressão tão intensa e dolorida, parecia que alguém tinha acabado de matar seu cachorrinho de estimação. Não pude resistir e dei risada. Aí me lembrei que deveria ser um bom pai, falei que não era nada engraçado e dancei com ele até ele parar de chorar. Ele tinha medo quando seus pés tocavam a água, mas em seguida adorava o banho, balançando os braços e as pernas.

— Viu? Não falei que era gostoso?

Ele parecia se divertir. Eu estava me divertindo também.

— Eu também não gostava de tomar banho quando pequeno. Mas aí a gente relaxa e não quer sair mais.

Não sabia dizer se o Pietro estava ciente do barquinho que flutuava na água, mas para mim aquele pedaço de plástico significava muito. Eu era um pai legal. Tinha pensado em todo o necessário para o banho *e* no barquinho de plástico. Aquele banho era um momento mágico e especial.

Senti tanto orgulho de mim mesmo que perguntei:

— E aí, está gostando da sua infância até agora?

Silêncio. Lembrei-me do fato óbvio de que um recém-nascido não podia me responder. Agora me senti bobo, passando de um pai legal para um pai boçal em um instante. Mas aquele obstáculo foi logo superado quando comecei a me responder e mantive uma conversa comigo mesmo.

— Até agora está o máximo, papai — respondi. — Eu gosto do meu barco. Está vendo como consigo esticar minhas pernas?

— Muito bem. Vai conseguir pular bem alto um dia.

— O que eu não gosto é dessa água no meu olho.

— Eu sei. A vida é dura. Espera só a Gabriela partir seu coração na quinta série.

— Qual Gabriela?

— E eu nem gostava tanto assim dela. Aí você tem que ir para a escola. A pressão da turma. Ter um filho.

Percebi que tinha me empolgado demais; meu recém-nascido provavelmente não poderia ser meu parceiro de terapia. Ou poderia? O Pietro não concordou e respondeu, na minha voz:

— Por que você não para de falar e presta atenção em mim?

— Verdade, desculpa. Lá vem o xampu. Fecha o olho... Isso mesmo.

Embrulhei-o numa toalha e vislumbrei nosso reflexo no espelho. O Pietro parecia limpinho e macio.

— Olha o Pietro! Está vendo como você é bonito?

— Não tanto quanto você.

— Eu sei. Mas você acabou de nascer. Quando crescer, nem a Gabriela vai conseguir resistir a essa beleza toda.

Nossas conversas não eram tão loquazes quando nosso adorável bebê se transformava em um Gremlin indomável à noite. Ele chorava, uivava e anunciava a toda a vizinhança que tinha pais maus, muito maus. Enquanto tentávamos entender qual era o problema, eu imaginava os vizinhos formando um comitê para conferir nossa forma de criar o bebê e nos expulsar da comunidade dos seres humanos sensatos.

A Sarah e eu tentamos todas as estratégias de que já tínhamos ouvido falar. A preferida dela era empacotar o Pietro numa coberta como um charutinho. Quando ele se sentia contido e abraçado, muitas vezes ajudava. As outras táticas eram cantar, amamentar, trocar a fralda (se estava suja), ajudá-lo a arrotar (no caso de cólica), caminhar pela casa, e balançá-lo em nossos braços ou no carrinho. Nas noites mais desesperadas, dirigíamos pela vizinhança ou ligávamos um desenho animado, para pelo menos fazer o choro parar.

Depois de duas semanas, alcançamos o paraíso: uma noite inteira de sono. Acordamos de manhã sem acreditar. Será que ele tinha morrido? Quando percebemos que estava tudo bem, houve celebrações, discursos de agradecimento de prêmios imaginários, até a ideia de escrever uma carta para a Cristine. *Como estão as crianças?*, eu diria. *Como está a maternidade em tempo integral?*, perguntaria em seguida. *O Pietro dormiu a noite toda e a Sarah está detonando também.*

Ainda bem que nunca escrevemos aquela carta, pois a vitória foi passageira. Por razões que superam nossa compreensão, aquela noite foi mais a exceção do que a regra. Houve fases em que ele dormia maravilhosamente, e fases em que acordava com dor, por exemplo quando nascia um dentinho. *Está tudo ótimo*, a Cristine respondia naquelas noites. *As crianças estão comendo brócolis e dizendo "por favor" e "sim, senhora"*.

Quando o pediatra nos aconselhou a introduzir a mamadeira além da amamentação da Sarah, minhas contribuições noturnas ficaram mais substanciais. Antes, meus papéis tinham sido o de Palestrante Motivacional (para a Sarah), Domador de Leões (para o Pietro) e Suplicante Desesperado (para Deus). Depois da mamadeira, virei um Corpo Sem Cabeça, pois meus braços faziam tudo direitinho — preparar o leite, amamentar o Pietro, colocá-lo de volta no berço — enquanto minha mente flutuava no limbo. Tentava consumir o mínimo de energia, sabendo que o dia seguinte traria surpresas mágicas, mudanças inesperadas e um novo modo de ver o mundo.

5
A transformação do ordinário

Espíritos ascendentes e corpos decaídos se tornaram nossa nova realidade. Conforme os dias se convertiam em semanas e meses, começamos a experimentar a vida de modo diferente. A marcha do tempo desacelerou. Os dias passaram a ser provas de resistência. Havia em tudo um ar de novidade. A presença de um bebê pareceu remover um velho manto de familiaridade e transformar momentos comuns em lugares de significado renovado.

Acordar

Levantar pela manhã tornou-se um ato dramático, um passo de coragem. A atração gravitacional da cama era monumental, depois de uma noite de sono interrompido. A ternura dos lençóis me envolvia como um útero e me chamava a permanecer no mundo dos sonhos para sempre. Por fim, eu jogava o lençol de lado e me levantava, reclamando, relutante, dizendo que estava exausto. Um livro me vinha à mente, *O Ser e o Nada,* de Jean-Paul Sartre. Não que eu o tenha lido, mas naquele momento o título finalmente fez sentido, pois eu ansiava voltar para o Nada em vez de aceitar o Ser. Enquanto meus pés se arrastavam até a cozinha e eu abria os armários e preparava o café, um melodrama era encenado em minha cabeça, um melodrama no qual eu era o Pai Trágico e Sofredor, vítima do próprio destino, afogando-se nas tormentas da vida.

Até eu encontrar o Pietro. Vislumbrar aquele pequeno ser humano colocava sempre um sorriso em meu rosto. Ele deitava no berço tão gostosinho — com pijama de bichinhos e meinhas brancas — que eu queria pegar aquele pedaço de doçura e sentir seu calor em meus braços de novo. Eu o levava à sala, sentava no sofá e olhava pela janela. Alguns minutos de sua presença, junto com o sol e o efeito da cafeína, eram suficientes para transformar minha tragédia em um musical da Broadway. Os raios de luz pareciam dançar e uma melodia me fazia bater os pés, pois a existência era linda e a manhã era repleta de vida. Meu coração queria dançar, mas meu corpo falava *de jeito nenhum*, então eu balançava o Pietro, improvisando coreografias diversas. Muitas vezes era o *moonwalk* do Michael Jackson, apesar de que seu final preferido era dar soquinhos no ar enquanto eu cantarolava a trilha sonora de Rocky Balboa.

Eu contemplava o dia à minha frente com um novo senso de destino. Não era um dia qualquer, mas uma Ocasião, um Acontecimento. O que traria o dia de hoje?

Trocar fraldas

Uma cena de terror, é isso que o dia trazia. O filme da minha vida, que parecia tão promissor, logo entrava no gênero *trash*: texturas medonhas, cheiros enjoativos, sustos dramáticos e o lixo. Não só as fraldas, mas as roupas também, que muitas vezes não tinham mais salvação.

Mesmo assim, as fraldas tinham de ser trocadas com uma tal frequência que eu as aceitei como parte normal do dia. O horror ficou cada vez mais brando, como entrar na casa mal--assombrada de um parque de diversões fuleiro e fingir ficar assustado porque faz parte do entretenimento. Na verdade, o conteúdo das fraldas se tornou tema de piadas. Falei para o Pietro que fraldas marrons eram impressionantes, mas fraldas secas uma decepção. Calculei quanto cada uma custava: uns cinquenta centavos. Por esse preço, tinham que causar arrepios mesmo.

Sair de casa

Ir para algum lugar de carro era mais fácil que de ônibus, mas não muito. Dobrar o carrinho, colocá-lo no porta-malas, junto com uma bolsa com fraldas, lenços umedecidos, creme para assaduras, uma troca de roupa e, passado algum tempo, leite em pó, mamadeiras e alguns brinquedos. Então, colocar o Pietro na cadeirinha e afivelar o cinto de segurança. Já não podia mais entrar no carro e dirigir enquanto a mente se distraia com tantas outras coisas. Agora, estava numa operação que exigia precisão e foco militar. Nesses momentos, o dia parecia uma aventura, em que o protagonista descobria um admirável mundo novo, encontrava ameaças à sua sobrevivência e curtia a companhia de seu parceiro adulto.

Se pegávamos o ônibus em vez do carro, o dia se tornava uma aventura ainda maior — e o Pietro, o herói incomparável. Quando eu entrava no ônibus sozinho, ninguém reparava. Mas quando entrava *com ele*, era como a noite de estreia de um espetáculo. Vários pares de olhos nos observavam. Corando, eu olhava para baixo e conferia se o Pietro estava bem. Quando olhava para a frente de novo, os jovens já tinham voltado a seus telefones, mas os idosos sorriam e acenavam para nós.

— Uma criança é um presente e tanto — me disse uma vez um senhor quando me sentei ao seu lado.

Sorri e olhei para o Pietro.

— É verdade.

— Você é abençoado — ele continuou. — É um menininho lindo.

— É mesmo, né? Ele se chama Pietro.

— Pietro! — ele exclamou, acariciando sua bochecha.

Sorrimos um para o outro e olhamos para fora pela janela. Então perguntei:

— E o senhor, tem filhos?

Ele me olhou como se tivesse medo daquela pergunta.

— Eu tive, mas ele morreu quando nasceu...

— Ah! Sinto muito...

— Sempre quis um filho. É o maior presente de Deus. Mas aí... — A voz falhou; ele se recompôs olhando para fora da janela. — Aí ele faleceu. A mãe sobreviveu, mas não pudemos mais ter filhos. Tenho um sobrinho, mas sabe como é, não é a mesma coisa.

Eu acenei com a cabeça, sem saber o que dizer.

— Você é abençoado — ele repetiu. — Aproveite seu filho. É uma bênção.

— Obrigado. Vou aproveitar.

Olhei para o Pietro em silêncio. Era um momento agridoce, ouvir a história daquele senhor enquanto estimava suas palavras. Senti gratidão pela vida do meu filho, vendo-a com os olhos de um desconhecido. Para ele, minha entrada no ônibus era um sonho não realizado, uma vida que ele não havia tido, mas que estava feliz de ver se cumprir para mim. Ele queria que eu tivesse consciência da bênção que era aquela vida e do significado de minha dádiva.

Observei as pessoas que tinham me cumprimentado naquele ônibus. Encontramos crianças por todo lado — brincando, chorando, entretidas consigo mesmas — mas uma delas já é suficiente para gerar sorrisos, conversas e reflexão. Em vez de um grupo de desconhecidos perdidos em seus pensamentos, criamos laços ao redor da presença de um bebê e nos tornamos uma comunidade em movimento, mesmo que brevemente. Notamos uns aos outros. Sorrimos. Bendizemos uns aos outros. Por um instante, aquele ônibus pareceu levantar voo e nos levar a horizontes mais vastos do que nossos destinos terrenos.

Almoçar

Ao meio-dia, eu já estava exausto do pique que um bebê requer e ansiava por aquele oásis de calma e prazer que nós adultos chamamos de almoço. Mas o ato corriqueiro ganhou ares de projeto elaborado. A Sarah e eu não podíamos mais comer quando quiséssemos. Tínhamos de planejá-lo com base no ritmo do Pietro e cozinhar e comer enquanto ele dormia. Em alguns dias, era factível. Em outros, o almoço era interrompido por choros, amamentação e troca de fraldas sujas. No começo, achei difícil voltar a comer depois de tocar e sentir o cheiro de cocô, mas digamos que os seres humanos são notavelmente versáteis.

Nosso anseio por um almoço em paz aumentava quando estávamos fora de casa. Depois de uma manhã de consultas médicas, reuniões de trabalho ou tarefas em diferentes partes da cidade, balançávamos o carrinho até que o Pietro pegasse no sono e entrávamos em um restaurante. Certa vez duas senhoras idosas — tão doces, tão gentis e tão curiosas — não respeitaram nossos pedidos educados de deixar a criança dormir e levantaram sua coberta para dar uma espiadinha. O Pietro acordou. A Sarah e eu entretemos pensamentos pecaminosos a respeito das adoráveis senhoras que elogiavam o lindo bebê.

Desesperar-se à tarde

Sou uma pessoa matutina e sempre tive mais energia na primeira metade do dia. Mas depois de acordar várias vezes no meio da noite e consumir energia para cuidar de um bebê, meu biorritmo entrou em pane e transformou minhas tardes em abismos sem esperança. Levei um bom tempo para entender o que estava acontecendo e aprender a desarmar meus pensamentos catastróficos. No começo, eu só sabia que minha vida tinha acabado. Estava em pedaços. Tudo era sombrio. Ouvia falar das conquistas profissionais de meus amigos e sentia que todo mundo estava avançando enquanto eu tinha empacado. Se avistasse um casalzinho se beijando em público, pensava: *Por que isso não acontece mais comigo? Como é que fui entrar nessa?* A vida em família era um peso. O casamento, uma roubada. Nem uma noite de sono eu tinha mais.

Com o tempo, me dei conta do funcionamento do meu corpo e aprendi a processar as emoções negativas de forma mais madura. *Calma aí!*, pensava. *Por que me sinto pra baixo sempre na mesma parte do dia*? Aprendi a reconhecer que estava no meio de um temporal emocional, a lembrar que em algumas horas aquilo passaria e a dizer a mim mesmo que minha vida era ótima, mesmo que não parecesse naquele momento. Ajudou muito quando o Pietro começou a dormir todas as noites e ir para a escolinha. Até lá, porém, a combinação de um recém-nascido frágil e um pai emocionalmente despreparado transformou algumas tardes em um filme *noir* sem enredo e cheio de sombras.

Notei que havia começado a repetir frases de efeito de filmes, também.

Sr. Macho: "Força e honra!"

Sr. Sensível: "Ahn?

Sr. Macho: "Lembra, do *Gladiador*. Quando ele está incentivando os soldados.

Sr. Sensível: "Força e honra..." (sussurrado sem entusiasmo e seguido por um suspiro nostálgico).

Para alegrar minhas tardes, adquiri uma nova turma de amiguinhos felizes: *cookies*, *muffins*, chocolates e tortas. O sorvete era sensacional, também. Em alguns dias, eu me encontrava tão carente de energia física e consolo emocional que comer Nutella com a colher parecia algo que um adulto esclarecido fazia numa boa.

O resultado foi uma gravidez masculina pós-parto.

Fazer compras

Depois do nascimento do Pietro, o aumento nas contas do supermercado me deixou assustado. As razões do aumento não eram inicialmente óbvias, mas com o tempo se demonstraram basicamente três. Em primeiro lugar, havia novos itens infantis para comprar: fraldas, lencinhos, cremes, leite em pó, e assim por diante. Segundo, percebi que também estava fazendo compras com um espírito romântico. Era um ato de amor por minha família, um gesto realizado pelo Marido e Pai Galante que mostrava seu valor quando estocava a geladeira para um longo inverno. E, terceiro, eu também fazia compras em busca de consolo emocional e comprava alimentos em quantidades e qualidades que não deveriam ter chegado à nossa cozinha.

Caminhando pelos corredores do supermercado, me lembrei de uma história que um dia um professor do curso de Administração contou. Quando a IBM queria testar seus primeiros sistemas de processamento de informações, lá no começo, quando os computadores eram enormes e a tecnologia da informação estava em seus primórdios, a empresa ofereceu um acordo ao Walmart: deixe-nos fazer uma análise de seus dados de vendas a fim de tentar descobrir algo interessante; em caso afirmativo, vocês nos pagam. A IBM começou a rodar modelos estatísticos sobre as vendas do Walmart e descobriu uma primeira correlação: mais guarda-chuvas eram vendidos em dias de chuva.

— Que grande descoberta! — respondeu ironicamente o Walmart (na versão contada por meu professor as corporações falavam). — Quando começa a chover, colocamos os guarda-chuvas na porta para todo mundo ver.

Aí a IBM encontrou uma segunda correlação: as pessoas que compram vinhos muitas vezes compram queijos também.

— Já colocamos os queijos perto dos vinhos para estimular compras conjuntas — respondeu o Walmart.

Finalmente, a IBM encontrou algo realmente inesperado: uma correlação entre as vendas de fraldas e de cervejas.

— Fraldas e cervejas? — perguntou o Walmart.

— Eu sei! Estranho, não é? — respondeu a IBM. — Mas há uma correlação clara aqui.

Foi aí que meu professor chegou à moral da história: a casa está uma bagunça, um cheiro desagradável preenchendo a atmosfera. A esposa prossegue em sua rotina necessária e grita para o marido: As fraldas acabaram! E lá vai ele, torcendo para que a criança não urine na sua amada, perguntando como é que ele pôde entrar nessa furada, dizendo a si mesmo que sua vida acabou, que não tem mais um minuto de paz, olha que carro sujo, e compra não só as fraldas mas algumas cervejas também. *Rapaz, eu preciso da cerveja*, ele pensa, *ou vou me jogar da janela.*

Eis, portanto, a correlação entre fraldas e cervejas, ou, no meu caso, doces e *nachos* com molhos mexicanos. Pensei naquele professor com gratidão. Não só me havia ensinado uma das lições mais memoráveis da faculdade, mas também havia previsto a razão por que minha conta do supermercado aumentaria tanto de uma hora para a outra — e me garantido que tudo estava indo de acordo com o plano.

Colocar o bebê para dormir

Quando a Sarah e eu começamos a falar de ter filhos, comprei edições ilustradas de *O Senhor dos anéis* e de *As crônicas de Nárnia*, imaginando as noites esplêndidas que passaria na companhia de meus filhos. Quando o Pietro nasceu, percebi que as tinha comprado uma década antes do prazo. O Pietro curtiria histórias na hora de dormir só depois de um ano, e os enredos seriam bem menos complicados. "Quá! Quá! Esse patinho tem plumas macias e amarelas. Elas fazem cócegas quando você esfrega seu narizinho nelas?", dizia um dos livros que continha penugem de animais saindo das páginas. O resto do livro mostrava um cachorro, um porquinho, um carneiro, um gato e um pintinho no final.

— Au au, óinc óinc, mééé, miau, piu piu piu — eu lia.

Se queria mudar um pouco o cenário, podia passar para um livro de animais *aquáticos* e falar de golfinhos, tartarugas, crocodilos e tubarões. Mesmo que passássemos a um livro de histórias da Bíblia, encontrávamos o Noé na arca, e havia sempre um montão de animais, Daniel na cova dos leões, Jonas na barriga da baleia, Jesus rodeado por ovelhas.

Mas esses prazeres literários nos aguardavam no futuro, pois nos primeiros meses de vida do Pietro não eram histórias, mas sim melodias que o ajudavam a dormir. Resgatamos do fundo do baú canções de nossa infância, notando pela primeira vez quão politicamente incorretas eram algumas de suas letras. Havia cantigas sobre os escravos de Jó, sobre o sapo que não lava o pé e sobre alguém que atirou um pau no gato, mas o gato não morreu e a tal da Dona Xica se admirou do berro que o gato deu. Nossa melodia preferida, porém, era uma Doxologia Trinitária. Para nós, era um acompanhamento apropriado para um grande feito: o fim de um dia. As horas tinham sido longas, havíamos passado da exaustão à magia e ao desespero, mas, depois de esforços heroicos e momentos em que duvidamos de nós mesmos, tudo correu bem. O Pietro ainda estava vivo. *Nós* ainda estávamos vivos. A escuridão da minha tarde havia se dissipado, e eu podia ver que amava aquela minha cansativa e linda fase de vida. Então, cantarolávamos louvores ao Deus de quem provém todas as bênçãos, colocávamos o Pietro no berço e saíamos de seu quarto de fininho. Aí nos abandonávamos ao sofá e ligávamos um filme de verdade. Mas não curtíamos muito, pois pegávamos no sono já nas primeiras cenas.

Acordar no meio da noite

Nossa tentativa de um encerramento grandioso deparava com um pequeno problema: o dia ainda não tinha acabado. Quando era minha vez de amamentar o Pietro, eu jogava o lençol para o lado e arrastava o corpo de novo, só que agora as janelas estavam escuras e as nuvens laranjas por causa das luzes da cidade.

Antigamente essa prática se chamava vigília, pelo menos quando era praticada de modo voluntário. As pessoas acordavam quando ainda estava escuro, olhavam para fora da janela e deixavam o silêncio da noite ensinar suas lições. Pensavam sobre a fragilidade da vida, sobre a inquietude da alma e sobre sua admiração diante de um mundo que seguia seu ritmo mesmo enquanto os seres humanos dormiam. A matéria persistirá e o sol se erguerá amanhã. Puxa vida. Aí voltavam a dormir no meio da noite, mas se sentindo mais "pé no chão", mais parte da natureza.

Adoraria me vangloriar sobre meus experimentos em vigília. Mas minha mente em parte ainda dormia, num estado de inércia que registrava somente o abajur sobre a mesa e os sons do Pietro que mamava. De vez em quando um desejo ou mágoa, que durante o sono assumiriam a forma de um sonho, protestavam sem palavras, e eu lembrava que no dia seguinte poderia comer mexericas.

Percebi que sentia falta de espaço para apreciar a vida, para dar nome às coisas, para avaliar e celebrar. Ainda que tivesse um filho a quem amava profundamente, sentia falta de mim mesmo e de minha capacidade de percepção. O abajur sobre a mesa chamou minha atenção. Parecia tão frágil e solitário. A pequena área que iluminava se prestava a uma metáfora para meu estado: eu podia ver a realidade imediata ao meu redor como nunca antes, mas fora de nosso ninho tudo era um borrão. As primeiras semanas de paternidade me deram um mestrado em concretude. Abstrações, solitude, horizontes amplos: já eram. O que eu tinha eram *coisas*. O abajur. A mamadeira. Bracinhos de bebê.

Olhei para o Pietro e para a mamadeira quase no final. Percebi que, sim, eu tinha menos de mim, mas de certa forma podia viver menos de mim e mais de nós. Logo descobriria como um bebê mudaria a identidade de outras pessoas, como o "nós" de nossa família se ampliaria. Quando ele terminava de mamar, porém, restava-me energia tão somente para apagar a luz, notar que as árvores ficam cinzas com a luz da lua, agradecer a Deus pela cor cinza e colocar-nos, o Pietro e eu, para dormir.

6
Ajustes familiares

Por mais intensos que fossem nossos primeiros momentos com o Pietro, logo percebemos que ter uma criança não diz respeito apenas à experiência de um casal. É uma transição que reconfigura uma inteira família. Filhos se tornam pais, pais se tornam avós, irmãos e irmãs se tornam tios e tias e, no processo, a identidade de todos é renegociada.

Depois da chegada do Pietro, meu pai e o pai da Sarah, acostumados havia muito ao ritmo tranquilo de pais de adultos, colocaram de novo a mão na massa. Memórias antigas revisitaram nossas mães, enquanto nossas irmãs receberam um modo de canalizar seu afeto e encheram o Pietro de presentes. Meu irmãozinho não era mais o caçula da família; o cachorro era menos fofo; os avós pareciam mais frágeis.

E assim como mudavam as identidades individuais, o mesmo se dava com a dinâmica familiar. Como planetas orbitando ao redor do sol, a família começou a girar em torno de um pequeno centro infantil. O Pietro não era só a pessoa mais observada e comentada da família. De certo modo, passamos a nos relacionar uns aos outros *através* dele, como se ele estivesse nos intermediando, moldando nossos relacionamentos. Nele encontrei um projeto comum com meu pai, que ajudou nos preparativos práticos, nele compartilhei amor com minha sogra, e nele descobri com meu sogro o *hobby* de jogá-lo para cima e para baixo. As conversas às vezes irritadas que tínhamos uns com os outros se tornaram inapropriadas agora que um de nós era pai, o outro tio ou avô, e um bebê nos olhava e se perguntava por que não nos comportávamos como adultos.

Era uma metamorfose curiosa de observar: as reações que o Pietro provocava e como nos adaptávamos, crescíamos e amávamos de outras maneiras. Sentíamos que os dias eram mais preciosos agora que ele estava conosco. Verdades que antes subestimávamos agora brilhavam com maior significado: estávamos vivos, estávamos juntos e havia mais um de nós.

Quando o Pietro completou três semanas, enchemos o carro e visitamos Curitiba, onde a Sarah cresceu. Para mim, a cidade era sinônimo de férias com a família dela: acordar quando quiser, correr no parque, comer fora, curtir um cineminha e conversar até tarde.

Mas agora não tinha mais isso de acordar quando quiser, correr ou desfrutar um almoço longo e em paz. O Pietro era nosso general. Podíamos ir ao parque, mas tínhamos de ficar na sombra no parquinho. Comíamos mais cedo e mais rápido, durante sua soneca. Indagamos se ainda dava para ir ao cinema, até que alguém disse "ora, por que não?". Logo descobrimos porque não: o Pietro arrotou como um caminhoneiro bem numa cena-chave e saímos do cinema na metade do filme.

A grande discussão naqueles dias era sobre quem pegaria o Pietro. Na teoria, porque na prática o pai da Sarah não deu chance para ninguém. Todos os dias ele segurava o Pietro durante horas. Ânimos se esquentaram e acusações foram feitas, mas o Roberto manteve sua posição — e o Pietro em seus braços. O que estava ótimo para a Sarah e eu, que pudemos descansar um pouco, e até tirar uma soneca uma tarde.

Aí vinham os presentes. Tantos presentes. Fiquei surpreso com a generosidade que um bebê inspira e com quão pouco a Sarah e eu precisávamos comprar. O Pietro ganhou brinquedos, coisas para mastigar, roupas de muitos tipos e uma manta tricotada à mão, um presente da Sra. Durvall.

Nunca tínhamos ouvido falar da Sra. Durvall. Ela morava numa casa de repouso em Dallas, onde a Chantel, a irmã mais velha da Sarah, trabalhava. Se a extensão da generosidade da família me tocou, achei mais difícil ainda aceitar um presente vindo de uma completa desconhecida. O Pietro seria aquecido pelo esforço de uma pessoa em outro continente. Era uma manta de lã azul, simétrica e trançada de modo intrincado: uma obra de arte de amor materno.

A casa de repouso onde a Chantel trabalhava tinha um lema: "Todo dia importa". Quando um dos pacientes falecia, os idosos se reuniam para uma Celebração da Vida e para compartilhar memórias do falecido. Estavam lá para sobreviver da forma mais confortável que podiam, antes de a morte chegar.

O que fez da manta da Sra. Durvall ainda mais significativa. Ela poderia passar o restante de seus dias absorvida pela televisão ou por uma vida de lembranças. Poderia ser uma pessoa ressentida, tendo sido, conforme soubemos, uma sobrevivente do Holocausto que havia pouco fora diagnosticada com câncer. Mas escolheu tecer uma manta para um bebê desconhecido. Decidiu usar algumas das horas que lhe restavam para o benefício de outra pessoa. Aguardava a morte apostando na vida.

Depois de Curitiba, dirigimos mais para o sul e visitamos a vovó Ivonne, minha última avó viva. Ela e o vovô Erwin se conheceram durante a Segunda Guerra Mundial. Sendo imigrantes alemães, não podiam se casar porque durante a guerra se proibiam agrupamentos de alemães, mas um pastor luterano celebrou uma cerimônia clandestina e os casou mesmo assim. Depois de anos em Curitiba e em São Paulo, eles se estabeleceram em Pirabeiraba, cidadezinha em Santa Catarina onde podiam continuar a falar alemão e comer em restaurantes chamados *Grünwald* e *Gute Küche*.

Quando saímos do carro, minha avó me deu um beijo no pescoço e se debruçou sobre o Pietro, sentado na cadeirinha.

— Aí está o novo Breuel! — ela exclamou.

O Pietro olhou para o nada, sem a mínima ideia do que estava acontecendo. Minha avó ficou visivelmente tocada, porém, como alguém que se perguntava se um dia teria a chance de conhecer um bisneto.

Durante o almoço, contamos como tinha sido o parto e ela falou de sua vida sem o vovô Erwin. Eles haviam sido casados por 67 anos, e eu podia ver a tristeza, a dor e a desorientação em seu rosto. Na última vez que visitei meu avô no hospital, ele estava consciente, mas consciente em seu próprio mundo, e não percebeu minha presença. A Sarah sugeriu que eu me despedisse dele, mesmo que ele não fosse me entender.

— Tchau, vovô — eu disse.

Ele continuou a fitar o nada, o silêncio após minhas palavras suspenso no ar, o triste silêncio de uma vida prestes a se encerrar. Estávamos andando para a porta quando tive uma ideia. *Tente na língua dele*. Na língua de sua infância, a língua que ele amava.

Voltei a me aproximar do leito de meu avô.

— *Auf Wiedersehen, Opa*.

Ele olhou para mim em um relampejo de lucidez.

— *Auf Wiedersehen.*

Ele faleceu no dia seguinte. Seu funeral, como tantos outros, foi solene e triste. Ver o pai de meu pai morrer e lembrar que do pó viemos e ao pó voltaremos foi um momento marcante para mim.

Mas ao meu lado estava a Sarah, àquela altura com um barrigão bem grávido. Era aparentemente a consolação de que minha avó precisava, pois disse a todos no funeral que o Erwin tinha falecido, mas um novo Breuel estava a caminho. Era o marco de que ela precisava para continuar a lutar até o dia em que veria um bisneto com os próprios olhos.

Depois do almoço, nos sentamos no chão ao redor do Pietro. Minha avó segurou os dedinhos dele e sorriu. Seus olhos refletiam um significado atribuído àquele bebê que era diferente do meu e da Sarah. Se para nós o Pietro era a personificação de nosso amor, para a Vovó ele cristalizava o triunfo da vida sobre a morte. O jeito como falava do "novo Breuel" inseria o Pietro numa história que começou antes de mim e da Sarah e que prosseguiria depois que nos unÍssemos ao vovô Erwin no túmulo. Os sacrifícios que eles fizeram — deixar o país de origem, criar meu pai, começar uma caderneta da poupança em meu nome quando eu nasci — culminavam naquele momento, naquele bebê. A linhagem continuava. O corpo estava decaindo, mas o legado seguia vivo.

ESTAR COM MINHA FAMÍLIA nuclear — pai, mãe, irmã e irmão — foi a experiência mais esquisita de todas. Quase surreal, frequentemente doce, certamente nova.

Todos sabíamos como nos comportar com o Pietro: brincar com ele, fazer caretas e trocar suas fraldas. A parte estranha foi nos relacionarmos uns com os outros. Eu estava acostumado a pensar em meu irmão como o caçula; era novidade vê-lo agora como um tio segurando um sobrinho. Depois de alguns anos, minha irmã teve dois meninos e começou uma empresa para ajudar novas mães a comprar o enxoval de bebê e se preparar para a maternidade.[3] Mas quando o Pietro chegou e nos tornamos eu um pai e ela uma tia, percebi que estávamos todos mudando.

Ainda mais curioso foi reformular a imagem que eu tinha dos meus pais. Havia um ar de novidade em concebê-los como avós e uma insegurança que não combinava com as pessoas que eu sempre tinha visto como a minha *mãe* e o meu *pai*. Para mim, eram Pessoas Grandes, médicos que usavam jalecos brancos e que explicavam com calma o significado de sintomas assustadores. Se você os encontrasse no hospital, teria a firme impressão de que eles sabem o que fazem.

No entanto, quando receberam seu primeiro neto, essa autoridade toda não parecia mais assim tão confiante. Depois de alguns arrotinhos no ombro e de fraldas trocadas, seus papéis eram menos definidos. Eu estava mais inteirado do assunto e os lembrava de como dar um banho no Pietro, mesmo que houvesse aprendido aquilo alguns poucos dias antes. Foi estranho *me* ver como pai e eles fora de sua zona de conforto.

Um dia meu pai me deu uma nota de cinquenta reais para ajudar com a gasolina e pequenas despesas. Eu não estava esperando ajuda financeira dos meus pais, mas pensei: *Um dinheirinho a mais. Por que não?* Quando a Sarah soube disso, ouvi uma palestra sobre o fato de que agora éramos uma família e tínhamos o nosso próprio dinheiro, mesmo que não fosse muito. Presentes para o Pietro tudo bem, mas receber mesada, não. Respondi dizendo que não era nada de mais, que meu pai só queria ajudar. Mas a Sarah me venceu na argumentação, como sempre, e devolvi a meu pai aquela linda nota de cinquenta.

Percebi que permanecia um filho, mas um filho que agora era em primeiro lugar um marido e um pai. Era um novo equilíbrio familiar em uma nova fase de vida. Estávamos descobrindo como estar juntos agora com o acréscimo de um bebê, e como nos ver uns aos outros sob essa nova ótica.

ACIMA DE TUDO, eu me peguei pensando sobre o ciclo da vida e sobre como foi para meus pais quando *eu* nasci. As necessidades exaustivas de um recém-nascido me fizeram apreciar muito mais os sacrifícios que meus pais fizeram para me criar, bem como a meus irmãos. Senti gratidão por terem me levado ao zoológico, ao circo e a inúmeros parquinhos e festas de aniversário. Responderam que tínhamos ido ao circo catorze vezes, mas que tinham perdido a conta das visitas ao zoológico e a tudo o mais.

Pensei, sobretudo, como foi para minha mãe perder a mãe dela, minha avó, no ano em que nasci. Era difícil imaginar a dor de uma perda dessas concomitante à chegada de um filho. A vovó Lory morreu em um acidente de carro, instantaneamente; meu avô sobreviveu ao acidente, mas ficou na UTI por um mês e parecia que iria morrer também. Minha mãe o acompanhava a tantas radiografias que, com o pesar e o cansaço crescentes, deixou de usar o avental protetivo. E foi naquela época que descobriu que estava grávida de mim, já no quarto mês. Era uma residente de medicina no Hospital dos Defeitos da Face, em São Paulo, onde via pacientes com desfigurações graves e bebês que nasciam com lábios leporinos ou um terceiro olho no rosto. Em sua dor, ela teve medo de que eu não duraria até o final da gravidez ou que nasceria deformado, por causa da radiação dos raios-X e da intensidade de suas emoções. Então orou, pedindo que aquele bebê nascesse com saúde e me dedicando a Deus.

Cresci sem saber daquela oração. Era contou essa história no dia do meu casamento, quando já era um adulto que tinha feito as próprias escolhas. Não sabia que meu chamado para trabalhar como pastor, e para exercer essa vocação em outra nação, era o cumprimento da oração de uma jovem mulher que tinha perdido a mãe, que temia perder o pai e que orava pela criança em seu útero.

Algumas semanas antes que a Sarah, o Pietro e eu nos mudássemos para a Itália, minha mãe organizou uma festa de boas-vindas para o Pietro. A minha família, a da Sarah, e vários tios, tias e primos se reuniram em Atibaia para celebrar a chegada do primeiro membro da nova geração. Comemos feijoada e cantamos hinos ao redor da mesa.

Tu és fiel Senhor! Tu és fiel Senhor!
Dia após dia com bênçãos sem fim
Tua mercê me sustenta e me guarda
Tu és fiel, Senhor, fiel a mim

Enquanto cantávamos sobre nossa gratidão, reservei um momento para observar os rostos à minha volta. Refletiam tonalidades de significado que enriqueciam minha compreensão da chegada do Pietro e de nossa metamorfose familiar. Para o tio Aristides, ele era fruto de um parto repleto de complicações, mas que tinha dado certo. Para minha mãe, era o filho saudável de um filho saudável, numa história que poderia ter acabado de modo bem diferente. Para a Sarah e eu, era uma oportunidade de visualizar o amor que sentíamos pelo nosso filho refletido no rosto das pessoas que tanto amávamos.

Logo a Sarah e eu seríamos toda a família que o Pietro teria por perto. Logo aquelas seriam pessoas distantes, e aquela seria uma terra distante, pessoas e terra sobre as quais muito falaríamos, mas as quais ele raramente veria.

7
Preparando a casa

Quando o Pietro tinha dois meses e meio, preparamos onze malas, pegamos um voo só de ida e nos mudamos para a Itália. Era uma transição que havíamos preparado ao longo de anos, mas sua proximidade com a do nascimento do Pietro suscitou novas dúvidas. *Por que estamos fazendo isso?*, nos perguntamos. *É a decisão mais sábia mudar para outro país com um recém-nascido?* — nossos parentes não nos perguntaram por uma questão de respeito, mas evidentemente era nisso que estavam pensando. Nossos pais foram quem tiveram a coragem de enfim perguntar: "Vocês vão mesmo levar nosso neto para longe da gente?".

Não foi a primeira vez que a Sarah ou eu moramos fora do país. Ela viveu por um ano na Noruega, e eu estudei por um semestre na Alemanha, durante os anos universitários. Então, assim que casamos nós nos mudamos para o Canadá, para fazer o mestrado e montar ali nosso primeiro lar. A cada vez, tínhamos de aprender uma nova língua, adaptar-nos a uma nova cultura e ajustar nossas emoções e visão de mundo. E, a cada vez, memórias formativas voltavam à tona, como agora.

Enquanto os preparativos nos absorviam, eu trazia à memória os pilares vocacionais que nos levaram a mudar para a Itália. Havia minha caminhada junto ao rio em Colônia, aos 12 anos, quando encontrei na oração um senso de paz sem igual. Havia os acampamentos e as panelas e as madrugadas ouvindo histórias de homens de coração quebrantado. Havia também o vazio que senti quando percebi que o Deus em que tinha crescido crendo não existia, no final das contas. Era a conclusão inevitável, depois que meu professor agnóstico do ensino médio lançou objeções formidáveis durante as aulas de filosofia. Tentei contra-argumentar, mas não podia alcançar seu nível de conhecimento ou eloquência; pairando sobre a humanidade havia tão somente um vazio sem significado. Aí me lembrei de voltar aos livros e perceber que um de seus argumentos não tinha boas bases, e depois um outro. Tomei a coragem de debater com ele na sala de aula, perdendo algumas discussões mas ganhando outras, enquanto os colegas no banco de trás me sussurravam: "Você consegue!". Lembrei-me da minha gratidão por um professor que me levou a sério a ponto de desafiar minhas crenças, e a confiança que resultou desse período de dúvida, debate e estudo, uma fé mais robusta e adulta — uma fé que não era só de meus pais ou da igreja, mas que era minha também.

Em seguida me lembrei de meu nervosismo um ou dois anos depois — o coração palpitando e o corpo querendo fugir, em vez de ir à frente e falar para alguns milhares de pessoas na igreja. Pensei que estaria tão distante que só conseguiria ver uma multidão embaçada. Mas podia ver os olhos das pessoas em seus detalhes, as emoções em cada rosto, suas mãos cruzadas. Gaguejei; as palavras que saíram da minha boca revelaram insegurança. Então me lembrei de outra coisa: da paz que me tomou enquanto eu continuava a falar e a convicção de que aquele momento consistia em quem eu era, que eu havia encontrado o que nasci para fazer, e a surpresa de deparar anos mais tarde com pessoas que se lembravam do que eu tinha dito naquele dia, mesmo que eu mal me lembrasse.

Hoje, em retrospecto, posso ver que aquelas experiências formativas estavam convergindo em algo maior, numa vocação. Era um modo de ser, uma indução à expressividade, que pode ser chamada de ministério ou pastorado. Mas esses títulos quase não captam o que senti, tão carregados que são de significados sociais. O que senti não tinha a ver com exterioridades ou trajes especiais. Brotava do fundo do coração: era um modo de articular como eu via o mundo e porque achava aquilo importante. Talvez fosse meio romântico, escolher minha vocação sem levar em conta como outros a veriam ou se era exótica, mal estimada e de baixa remuneração, como alguém que se apaixona e nem passa pela sua cabeça perguntar se a moça é rica ou pobre. É ela, e é o que importa. Para mim, era Jesus Cristo e o brilhantismo de sua visão de mundo. Ao lado dele, todo o resto era tedioso como uma aula de contabilidade.

Foi como o verão, sentir o perfume de uma vocação surgir dentro de mim. Frederick Buechner define uma vocação como a intersecção entre nossa alegria profunda e uma grande necessidade do mundo.[4] Foi como me sentia: que minha vontade de articular uma visão de vida correspondia a uma necessidade do mundo e produzia uma grande alegria.

Eu poderia ter almejado um ministério entre crentes, como fazem tantos pastores: cuidar de uma congregação ou formar jovens nas bases da fé. Mas me encontrei atraído por pessoas que não criam; pessoas que tinham dúvidas ou que buscavam algo desconhecido ou que já haviam até mesmo desistido da religião. E me senti atraído pela ideia de começar uma igreja para esse tipo de pessoas em Roma, curiosamente. Os amigos com quem cresci se autointitulavam cristãos, mas para a maior parte tratava-se de uma identificação cultural, não uma fé pessoal. Esse fenômeno também acontece em sociedades historicamente protestantes, em que um inglês ou um dinamarquês pode definir-se como "cristão" num recenseamento e não pensar mais a respeito. No meu caso, meus amigos brasileiros se declaravam católicos, mas poucos tratavam sua fé com seriedade. Com o tempo, conheci católicos praticantes que eu admirava. Mas, quando comecei a me perguntar onde iria trabalhar, Roma me parecia um lugar como tantos outros para ajudar pessoas que não creem a considerar a fé. Poderia ser um modo de encorajar a igreja a fazer o mesmo, também. *Quem sou eu para trazer algo novo a um lugar que faz isso há quase dois mil anos?*, eu me perguntava frequentemente. Mas quando notava que as pessoas da minha geração não viam muito sentido naquela neblina de rituais e tradições e voltavam seu foco a seus telefones celulares, eu pensava: *Alguém precisa fazer alguma coisa.* A fé é linda, mas não está alcançando minha geração. É preciso expressá-la de forma revigorada e responder às perguntas de hoje, não só às de séculos passados.

Havia também um lado prático para nossa decisão de trabalhar na Itália. A organização que servia estudantes universitários onde a Sarah e eu nos conhecemos e para qual ela havia começado a trabalhar estava buscando alguém para Roma. Então, foi uma transição para a qual ambos sentíamos paz. Ela poderia compartilhar com outros aquilo que havia recebido, e eu tentaria realizar a visão que havia nutrido desde a adolescência. Conforme minha mente se distraia no chuveiro ou no trânsito, eu sonhava em começar uma igreja que fosse significativa para quem não crê e em compartilhar uma fé que ajudasse as pessoas a encontrar esperança e amor no dia a dia.

— Qual o propósito de sua viagem para Itália? — a responsável pelo *check-in* no aeroporto nos perguntou.

Não parecia ser o momento para explicar tudo isso, então optei pela versão mais breve.

— Estamos nos mudando para lá — e apontei para a pequena montanha de malas e para o Pietro em seu carrinho.

— Quanto meses ele tem?

— Dois e meio.

A comissária olhou para o Pietro, para seu passaporte, e em seguida para a Sarah e eu. O olhar dela parecia dizer: *Para mim parece muito irresponsável.* O meu tentava responder: *Digamos que é idealista.*

O AVIÃO POUSOU em Milão num dia quente no final de maio. *Lombardia, Emilia Romagna, Toscana, Umbria, Lazio*: dirigir para Roma nos ajudou a processar emocionalmente o que a cabeça já sabia. Estávamos mais uma vez chegando a um novo país, mais uma vez buscando um senso de lar.

Desta vez, porém, era diferente. A Sarah e eu moramos na Noruega e na Alemanha por menos de um ano; o mestrado no Canadá durou três anos, mas sabíamos que não continuaríamos lá. Agora não havia passagem de volta. Acima de tudo, desta vez trazíamos conosco um recém-nascido. Decidimos chamar o Pietro *Pietro*, e não Pedro, não só porque um nome italiano o ajudaria a se sentir ajustado, mas também como um tributo ao nosso desejo como pais de lhe proporcionar um lar sólido, uma educação estável e uma geografia clara. Queríamos que ele crescesse contando de suas viagens, mas com a voz firme de quem se sente filho de um lugar.

Dirigindo para Roma, a Sarah e eu tivemos uma discussão. Ela queria parar em Florença, sabe como é, para dar uma olhadinha. Quando teríamos a chance de visitar a cidade de novo? Respondi que tínhamos malas, um recém-nascido e hora para chegar a Roma. Ela insistiu, argumentou e, como de costume, ganhou a discussão. Peguei uma saída e caímos em uma praça que possibilitava um panorama da cidade. Menos de um ano havia se passado desde que observamos o Rio de Janeiro com o coração pesado, perguntando se um dia teríamos um filho. Agora, segurávamos Pietro nos braços e tínhamos uma nova casa para montar. O sol brilhava sobre o rio Arno, sobre o *Ponte Vecchio* e sobre nossos rostos. A sensação era de gratidão e felicidade. O Pietro havia chegado. Havíamos sobrevivido aos primeiros meses. Tínhamos um futuro para construir.

Antes de voltar ao carro alugado, inspirei o denso ar do começo do verão. Um cheiro de chegada e transição, de jornada e destinação, e de começar a se sentir em casa em uma nova terra.

NOSSA PRIORIDADE ao chegar a Roma era encontrar um apartamento e decorá-lo. Alugamos um no bairro de San Lorenzo, perto da Universidade La Sapienza. Era uma área nomeada em homenagem a um mártir da igreja antiga, que foi queimado numa fogueira durante a perseguição do imperador Valeriano, em 268 d.C. A lenda conta que, enquanto as chamas consumavam o Lourenço, ele falou algo como: "Este lado está pronto. Pode me virar e dar uma mordidinha", uma frase que fez dele o santo padroeiro dos comediantes, dos chefes de cozinha e churrasqueiros, e que captura algo da alma vivaz desse bairro até hoje. Em nosso quarteirão, havia o *Bar dei Brutti*, quase defronte ao *Bar dei Belli* — "Bar para os feios" e "Bar para os bonitos", respectivamente

— mesmo que, na prática, o *Bar dei Belli* fosse frequentado por aposentados e o *Bar dei Brutti* fosse um ponto de encontro de jovens descolados e bem-apessoados.

O prédio não dispunha de elevador e nosso apartamento era pequeno, mas fizemos de tudo para deixá-lo com nossa cara. A proprietária havia deixado ali uma mesa de jantar verde que ocupava um terço da sala, um armário barroco que tinha pertencido à sua avó e um sofá surrado pelos anos. Respeitosamente, pedimos que ela retirasse aqueles artefatos históricos da casa. Não gostamos das paredes rosa-salmão, então as pintamos de branco. A Sarah queria trocar os azulejos da cozinha e do banheiro também, mas eles haviam costado *una fortuna*, segundo a proprietária, e *assolutamente* não podíamos trocá-los. Sem problema. Mas tivemos autonomia na sala, no quarto de casal e no quarto do Pietro, e ali o espírito da casa mudou. Pintamos o quarto do Pietro de um azul claro, colocamos girafas, elefantes e crocodilos de pelúcia nas prateleiras, e penduramos um sol feliz sobre seu berço.

Esse entusiasmo por *design* interior nos surpreendeu. Percebemos que a aparência de nosso apartamento não era apenas uma questão de aconchego e funcionalidade, de estética ou gosto pessoal. Era uma afirmação de nossa determinação de nos sentirmos em casa. Objetos que nunca haviam capturado meu interesse adquiriram significado: a cortina da janela, a cor das toalhas do banheiro e o espelho que penduramos sobre o sofá para deixar a sala mais espaçosa.

Para garantir que não deixaríamos nada para depois, impusemos a nós mesmos um prazo. A Sarah convidou uns vinte estudantes da associação na qual trabalharia para assistirem conosco ao primeiro jogo da Itália na Copa do Mundo da África do Sul. A partida seria só dez dias depois de nossa chegada ao apartamento, mas pressão autoimposta era justamente do que precisávamos. Era uma meta para medir nosso progresso e, acima de tudo, um propósito: preparar uma casa não só para nós, mas também para o grupo que iríamos receber. Até segunda tínhamos de pendurar o espelho e as cortinas. Até terça, montar os sofás. Até quarta, o armário branco do Pietro e a mesa de jantar.

Foi apertado, mas conseguimos. Vinte dias depois de pousar em Milão, já contávamos com móveis, uma tevê para assistir ao jogo e *bruschette* e *pizzette* saindo do forno. Conversa, torcida e piadas animaram nossa sala. O papo de futebol não foi profundo, mas foi o começo de que precisávamos para conhecer pessoas que logo se tornariam nossas amigas. Havia entre elas universitários e um casal de nossa idade, o Marco e a Federica. Ele trabalhava para a universidade, ela era professora no ensino médio, e sonhavam em ter filhos também.

Quando o jogo acabou e todos se foram, recolhemos os guardanapos deixados para trás e varremos as migalhas do chão. O apartamento tinha certa ressonância, uma atmosfera depois que o barulho e as risadas da festa haviam se convertido em silêncio, mas um resíduo permanecia. Nossa vida em Roma estava só começando; tínhamos ainda muitas descobertas por fazer. Mas ali estava a sensação de lar pela qual ansiávamos. Um lar para a Sarah, o Pietro e eu — e migalhas no chão. Uma casa que não era só para nós, e por causa disso uma casa que era nossa.

8
Turbinando nosso filho

NOSSA CRESCENTE SENSAÇÃO de lar era cristalizada, em parte, pela fisicalidade de nosso apartamento. Podíamos caminhar descalços pelo corredor e sentir o aroma das berinjelas fritas pelo vizinho de baixo. Com o tempo, nossa nova vida também abraçou ruas, lugares e pessoas. Desabrochou numa geografia pessoal, Roma como nós a experimentamos.

A Cidade Eterna poderia ser um sítio arqueológico, um refúgio romântico, uma capital religiosa ou política, de acordo com o interesse de cada um. Para nós, sua topografia se caracterizava por escorregadores, balanços e gramados. Os parquinhos para crianças guiavam nosso conhecimento de Roma, como os ciclos de sono do Pietro determinavam nossa rotina. Claro, passávamos pelo Coliseu — no caminho para um parque com um lago que exibia pinguins de brinquedo dançando na entrada. Sim, visitamos a romântica *Piazza Navona* — para comprar algodão-doce e levar o Pietro a um carrossel. Nosso primeiro ano em Roma foi repleto de descobertas, especialmente quando ajudavam uma criança, e a nós, a brincar, rir e crescer.

CONHECEMOS A CIDADE por etapas. Em primeiro lugar, as imobiliárias em San Lorenzo e os apartamentos que nos mostraram. Em seguida, a *pizzeria* onde comprei pedaços para nossa primeira noite em casa e a escola de línguas onde estudamos italiano. Logo uma economia local começou a adquirir forma e rostos: Giorgio, o barista, gostava de falar de suas aulas de artes marciais; a loja de ferramentas era mantida por um senhor de uns oitenta anos que me cumprimentava com um "*Ciao bello*" quando entrava em sua loja; a caixa do supermercado exigia que eu trouxesse o Pietro na próxima vez que fizesse compras.

Para nossa surpresa, descobrimos que estávamos numa cidade pequena. Por essa eu não esperava, tendo chegado à metrópole que tanto havia maravilhado o mundo antigo. Mas logo começamos a cumprimentar as pessoas na rua, emprestar sal para o vizinho e conversar com conhecidos nos cafés. Roma tinha mais turistas e conexões internacionais que São Paulo, mas não tinha a mesma dimensão, os arranha-céus, a inquietude e ambição. Em vez disso, Roma se parecia com uma avó com tempo de sobra, histórias para contar e uma vontade de ficar quieta mais do que de se mover ou crescer. Já tinha se provado ao mundo e acolhia seus visitantes como uma matriarca contente com a reverência que sabia que receberia mais cedo ou mais tarde. Vem cá, vou lhe oferecer um café. Vamos ficar batendo papo.

Numa das primeiras vezes que saímos, descobrimos um parque a dois quarteirões de casa. O Pietro ainda não conseguia engatinhar ou caminhar, mas vimos crianças brincando sem a supervisão de adultos e senhoras conversando no banco do parque: vislumbres de infâncias despreocupadas e da comunidade que se formava ao redor delas. Alguns dias depois, alguém sugeriu que conferíssemos um outro parque, a *Villa Mercede*, e era ainda melhor. As crianças eram todas pequenas e os pais se conheciam. A nossa turma, parecia.

Colocamos o Pietro no balanço e começamos a conversar com algumas das mães. O papo girava em torno de temas em que nunca havia pensado um ano antes: o que nossos filhos comiam, quando iam dormir e onde encontrar um bom pediatra. O grande debate daquele dia era: as chupetas fazem bem ou mal? As mães tinham convicções fortes a respeito de temas que eu nunca tinha levado em consideração. Aprendi a ficar quieto e desenhar um mapa mental das filosofias educacionais, dos campos minados e das Opiniões Proibidas no Parquinho. Suprimi toda a confiança ou espírito de liderança que tinha; esse era o reino das *mamme*. Melhor que expressar algo que poderiam rejeitar era deixar-se levar e concordar com tudo o que diziam.

Com o tempo, formei minhas próprias opiniões. Numa festa de aniversário, um pai me contou que levava o filho de 5 anos para lutas de MMA. "Eles têm ótimos valores!", exclamou, enquanto comíamos sanduíches e batatinhas. "Quase se matam, mas fora do ringue se cumprimentam e são muito respeitosos." Lembro-me que pensei: *Talvez não seja o melhor lugar para levar um filho de 5 anos*, muito embora, exteriormente, não tenha me oposto à sua filosofia educacional, e segui comendo minhas batatinhas.

Então, chegou o dia em que outro pai me contou que seu filho assistia aos filmes do Baby Einstein. "Baby Einstein?", perguntei. Ele explicou que se tratava de uma série de desenhos educativos para recém-nascidos que também incluía Baby Mozart, Baby Shakespeare e outros gênios em miniatura. *Temos que pressionar nossos filhos a se tornarem gênios já quando são bebês?*, pensei. Mas minha indignação acerca dos filmes do Baby Einstein não me poupou de tentar um. Aluguei uma cópia do Baby Van Gogh por precaução, caso pudesse dar uma turbinada no Pietro. Não gostaria que meu filho ficasse atrás de bebês que ouvem as melodias de Bach, não é verdade? Coloquei o Pietro na frente da tevê e liguei o

Baby Van Gogh, mas as cores que se moviam pela tela não capturaram sua atenção. Convenci-me de que era porque o Pietro já era avançado demais. Até ele podia ver que era um vídeo bobo.

QUANDO VISITAMOS a *Villa Mercede* algumas semanas depois, uma das mães nos contou sobre sua tentativa de turbinar a filha. Havia ali uma piscina coberta que oferecia aulas de natação para bebês no sábado de manhã. Achei um conceito novo, mas fascinante. Os bebês podem realmente aprender a nadar? Decidimos conferir. Mas digamos que não eram *aulas* de verdade. Eram cinquenta minutos em que os pais podiam levar seus bebês à piscina e ter um instrutor por perto para contar piadinhas.

Apesar da falta de rigor educacional, as aulas de natação do Pietro se tornaram nosso ritual do sábado de manhã. Chamá-las de *aulas* ajudou a conferir ares de seriedade à coisa. Pois eram, logo descobrimos, um trabalhão. Acordar, fazer a malinha, dirigir, vestir-se para a piscina, molhar-se, tomar um chuveiro, vestir-se de novo, dirigir para casa e parar em algum lugar porque o Pietro e nós estávamos famintos já às 10h45 da manhã — tudo isso exigia disciplina. Mais de uma vez fomos tentados a pular um sábado. Mas a palavra *aula* nos persuadia, com todos os benefícios que os pais pensam que estão dando a seus filhos — tonificação muscular, desenvolvimento neural e a disciplina de levantar pela manhã, mesmo que se esteja desempregado há um ano e todas as células do corpo queiram desistir da vida — quando, na verdade, era só um grupo de bebês brincando na piscina. Era um investimento em nosso filho, dizíamos a nós mesmos. Neste mundo competitivo, é preciso começar cedo. Falávamos com o Pietro em três línguas, mas quem sabe quando os chineses começam a levar seus filhos à piscina?

Aos olhos do Pietro, todavia, tudo era mágico e divertido. Ele batia na água com suas mãozinhas e gritava de alegria. Eu o segurava de barriga para baixo, para que pudesse flutuar e descobrir as bordas e os objetos que flutuavam. Outros bebês gostavam das boias ou dos bichinhos de plástico, mas o Pietro queria colecionar as bolinhas coloridas. Ele apontava para uma, e eu o levava ali para ele abraçar a bola com seus bracinhos. Em seguida buscávamos outras bolas, até que seus braços transbordavam. Naquele ponto, cada bola que tentava adicionar fazia com que uma outra bola caísse. Notei que havia ali uma lição de vida, sobre aprender o que abraçar e a falar sim para algumas coisas e não para outras. O Pietro, porém, queria todas elas em seus braços, sem freios ou hesitação.

Eu também, admito, me divertia muito. Depois de um tempinho na piscina, o esforço da vinda era ofuscado pela alegria contagiante do Pietro. Eu me sentia feliz de estar ali. A vida deveria ter mais momentos assim. Percebi que era um momento para simplesmente estar presente e deixar que ele ditasse a agenda. Podia ver sua satisfação de ter o pai só para ele e interessado no que o interessava. Aquilo me fez notar o que eu perdia quando permanecia em meu mundo, ansioso por colecionar a *minha* próxima bola e com medo de deixar uma das minhas bolas atuais cair.

Quando a aula acabava, eu envolvia o Pietro numa toalha e voltava ao vestiário onde os pais trocavam seus filhos. Era uma bagunça: gente procurando coisas, secando o cabelo do filho com secador, às vezes pegando os *jeans* de um outro pai sem querer. Nossas tentativas de bater papo eram interrompidas por crianças que precisavam de atenção. Às vezes eu desejava que tivessem um botão *off* e que nós adultos pudéssemos ter um pouco de interação em paz (uma invenção que provavelmente produziria a pessoa mais rica do mundo). Mas a bagunça também era estranhamente reconfortante. Mesmo que as outras pessoas não tivessem bebês, *nós* tínhamos um e traríamos a bagunça conosco de qualquer maneira. Era gostoso unir-se ao caos e não ser julgado se o nosso bebê era barulhento. Ainda melhor era ver outras crianças explodindo, enquanto a nossa se comportava como um anjo e nos permitia julgar os outros *só um pouquinho*. Quem diria que os choros de outros bebês seriam calmantes? É como se dissessem: *Está tudo bem. É o que os bebês fazem, eles choram. O seu não é o único.*

Quando chegávamos ao carro, eu notava sentimentos interessantes dentro de mim. Contentamento. Afeição. Gratidão. Enquanto afivelava o Pietro em sua cadeirinha, percebia que nossas aulas de natação não se destinavam a desenvolver seu sistema nervoso ou a colocá-lo na frente da corrida contra os chineses. Elas me ajudavam a estar presente na vida dele e vislumbrar o milagre que crescia bem diante de meus olhos. Uma manhã para flutuar o corpo dele na água e me deixar levar também.

Olha só, as aulas de natação ensinaram mais a mim do que a ele.

NOSSA ROMA PARA jovens famílias incluiu outros pontos de referência também. Um deles foi o grupo de pais e mães organizado por nossa vizinha, uma psicóloga chamada Elena. Um dia ela nos convidou, e a linguagem que usou — sobre desenvolvimento infantil, autodescoberta e apoio *peer to peer* entre pais — nos fisgou de imediato. *Ótimo*, pensei. *Um outro modo de turbinar meu filho.*

Só havia um problema: eu era o único homem. A Elena nos falou que era um grupo para mães *e* pais, mas quando chegamos, só havia mães. Senti-me um pouco como um peixe fora d'água, mas tentei não me importar e tirei os tênis para me sentar com todo mundo no carpete.

A Elena começou a reunião apontando para os objetos e utensílios no meio de nosso círculo. Eles ajudariam as crianças a explorar novas texturas. *Que conceito brilhante*, pensei. *Texturas! Nunca tinha pensado nisso*. Era um ambiente livre e de exploração, ela continuou. Então, enquanto as mães faziam perguntas sobre a transição para comidas sólidas, uma delas, a mãe bem à minha frente, tirou um de seus seios da blusa e começou a amamentar a filha. A Sarah diz que fico sem graça quando as mulheres amamentam na minha presença, que é algo natural e lindo e com o qual tenho de me acostumar. Eu respondo dizendo que apoio de tal modo os direitos femininos que abro espaço numa boa para que elas amamentem sem a presença de sujeitos desconhecidos por perto. Ela responde dizendo que isso não vai ser sempre possível e que tenho de aceitar esse fato. Ponto final.

Tentei ficar de boa enquanto a amamentação rolava. Mas — os rapazes vão concordar comigo aqui! — foi embaraçoso. Eu era o único homem. Era uma sala pequena. Ela estava bem na minha frente. Eu não sabia o que fazer, então olhei para baixo, para o Pietro, que tinha pegado uma colher de madeira e estava para bater num outro bebê.

Depois das perguntas, a Elena nos guiou em um momento de meditação de grupo. Para construir sintonia com nossos bebês, temos de nos conectar com a criança dentro de nós, ela explicou com uma voz tranquilizante.

— Tentamos sufocar essa criança, mas temos que ouvi-la — dizia ela. — Contemple sua criança interior. Segure-a nos braços. Somos como árvores. Estique seus braços. Sim, vocês todos. São como galhos. Estique-os até o fim. Agora, sente-se bem centrado e pense em suas raízes. Note quanto elas nutrem você.

Tentei levar tudo a sério. Mas quando chegou a parte de segurar minha criança interior e esticar minhas raízes, pensei: *Estou fora*. Se houver um grupo desse tipo para rapazes, conte comigo. Mas nunca mais volto para esse grupo de mães.

As coisas progrediram mais na aula de música que descobrimos alguns meses depois. A Sarah encontrou um folheto sobre um programa que ensinava musicalidade às crianças. Delineava os benefícios que aulas de música podem oferecer à infância de modo tão vívido que quase imaginei o Pietro compondo sua primeira sinfonia.

Pais e filhos se sentavam em um círculo, o professor estalava os dedos, e tocávamos juntos vários instrumentos. Sinos. Xilofones. Congas. O Pietro fazia o que queria no começo, mas com o passar do semestre ele pegou a coisa e seguia as instruções do professor. Adorava sobretudo os chocalhos em forma de ovo. Sua ambição era, que surpresa, pegar todos só para ele.

Minha parte favorita era o final. A aula terminava com uma melodia rítmica em que podíamos pegar os objetos que quiséssemos e tocá-los como quiséssemos. Eu pegava uma colher, uma panela, e batia na panela com a colher. No começo, delicadamente. Com o tempo, com toda a minha força. Eu lançava sobre aquela panela minhas frustrações — as noites mal dormidas, a humilhação no grupo de mães, meu embaraço nas aulas de dança que a Sarah e eu tínhamos começado — e continuava batendo nela até que todas as minhas neuras fossem curadas.

Era a terapia de que precisava. Nada de esticar raízes. Minha criança interior queria fazer um panelaço.

9
Humilhações

Desde que nos casamos, a Sarah propunha que fizéssemos aulas de dança. Vai ser divertido, ela dizia. Eu me soltaria. Ela ficaria feliz.

Minha resposta? Só por cima do meu cadáver.

Dançar nunca foi para mim. Os gringos que assistem aos desfiles no Carnaval acham que todos os brasileiros são dançarinos naturais. Um breve exame de minhas habilidades motoras convenceria um júri imparcial de que não é o caso. Meu medo da dança começou cedo, quando eu me sentava no banco dos meninos que não tinham coragem de convidar as meninas para dançar nas festinhas de garagem na casa da Wendy. Minha resistência foi posteriormente confirmada quando meu pai e eu passamos em frente de um centro comunitário onde velhinhos dançavam. Eu disse que era uma cena bonita, ver as pessoas aproveitando a terceira idade, e ele respondeu que era ridículo e que nunca faria algo do tipo. (Depois descobri que minha mãe também pedia para fazerem aulas de dança.)

A Sarah sabia que para mim a dança era uma tortura, mas depois que o Pietro nasceu e nos mudamos para Roma, ela elaborou novos argumentos. Um curso de dança nos daria uma folga da atmosfera infantil que nos rodeava. Seria um modo de fazer amizades em um novo lugar. Acima de tudo, eu a faria *muito* feliz.

Confesso que seus novos argumentos tinham seu valor. Seria estimulante sair um pouco dos ambientes de crianças e conhecer outros adultos. Dançar com minha esposa nos ajudaria a nos reconectarmos como casal, para além de nossas responsabilidades como pais. E, é claro, eu adoraria fazer minha esposa *muito* feliz.

Mas a Sarah não era a única que tinha subido de patamar em seus argumentos. Recentemente eu tinha descoberto a maior das objeções: *Mas e o Pietro*? Soava tão responsável não fazer algo por causa de nosso filho, quando na verdade era porque eu não queria mesmo.

A Sarah desmascarou meu blefe: o Pietro dormiria numa boa em seu carrinho, ao nosso lado na aula de dança. Se acordasse, estaríamos lá para socorrê-lo.

Ela tinha razão. O Pietro dormia em qualquer lugar.

— Tudo bem… Vamos fazer a minha mulher feliz — resmunguei, imaginando minha sessão semanal de embaraço.

Foi embaraçoso mesmo. Minhas tentativas de fazer os passos básicos de um-dois-três provocaram risadinhas nos outros participantes. Éramos o único casal em um grupo de solteiros que queriam encontrar alguém; também éramos os únicos a trazer um bebê para a aula de salsa. O Pietro se tornou a mascote da turma. As moças queriam brincar com ele, enquanto os rapazes lhe davam atenção para mostrar às moças que eram homens sensíveis e afetuosos. Se chegávamos à aula com o Pietro já dormindo em seu carrinho, ouvia-se um suspiro coletivo de decepção.

Tornou-se nossa rotina de quinta-feira à noite: dar de comer ao Pietro, trocar sua fralda e caminhar pelo bairro até que ele adormecesse no carrinho. Em geral ele dormia tão profundamente que não acordava durante a aula, e o transferíamos para o berço no fim da noite. E quando ele acordava, eu ficava feliz de ir ajudá-lo. Era uma dádiva fazer uma pausa de meu papel de bobo.

Com o passar das semanas, as aulas foram me trazendo emoções inesperadas. Minha postura básica era de pavor e autocomiseração. Eu estava lendo uma biografia de Dietrich Bonhoeffer na época, um teólogo alemão que foi preso por Hitler e enforcado em 1945 por sua oposição ao nazismo. Havia tardes desesperadas em que eu me sentia tão exausto e relutante de ir à aula que acabei me identificando um pouco excessivamente com o Bonhoeffer. *Ele enfrentou os nazistas; eu estou fazendo aulas de salsa.* Aí meu melodrama era seguido pela gratidão quando terminávamos os exercícios de aquecimento e a Sarah e eu dançávamos juntos. Ela sorria com o maior sorriso do mundo. Seu prazer era tão grande que eu quase pensava que meus sacrifícios valiam a pena.

Depois de algumas semanas, a Valentina, nossa instrutora, aumentou o desafio. Ela nos convidou a ir como grupo a uma boate que organizava noitadas de salsa nas sextas-feiras. Eu não prestei atenção a seu anúncio, pois já sabia qual era a resposta.

— E aí, o que você acha de ir com eles na sexta? — a Sarah perguntou quando voltávamos para casa.

— Você está me fazendo essa pergunta?

— Vai ser divertido! Imagina só. Vai ser a nossa noite de dança juntos. Eu sempre sonhei com isso.

— Eu já mereço um troféu por ter concordado com a aula de salsa.

— Merece mesmo. Você vê o quanto eu fico feliz...

— Você fica. Adoro ver você assim — respondi. Mas tão logo as palavras saíram da minha boca, me arrependi de ter cedido terreno, que a Sarah ocupou imediatamente.

— Eu vou sorrir dez vezes mais se formos com eles! Já fizemos todas essas aulas. Para que serviram se não vamos praticar?

— Mas é uma *boate*! — eu declarei com todo o desprezo de que era capaz, como se o lugar fosse uma Sodoma e Gomorra com drogas, orgias e sei lá mais o quê.

— Vai ser tranquilo! Estamos indo como grupo. Eu vou estar lá também. Se tiver alguma coisa de que você não gosta, voltamos para casa.

— Mas e o Pietro? — Dava tudo certo na aula de salsa, mas eu não poderia não usar meu melhor argumento.

— Temos que chegar às onze da noite. Ele vai estar dormindo e vai ser tranquilo para a babá.

— *Onze* da noite?

— Eu tomo conta dele de manhã para você dormir até mais tarde. Prometo.

Meus contra-argumentos haviam se esgotado. A Sarah é tão boa nas discussões, odeio isso.

— Vou pensar a respeito. Mas não prometo nada!

Caminhamos por mais um minuto. Ela colocou seu braço ao meu redor, e eu sabia qual era a minha resposta.

— Ok, podemos ir…

— Oba! Obrigado!

— Só espero que ninguém pergunte o que eu faço — comentei.

— Por que não? É só falar que você é pastor.

— Não é estranho? Um pastor numa boate?

— Um pastor que leva a mulher para dançar, tem coisa mais legal?

— Não sei, não — murmurei, imaginando os prelados no Dicastério para a Doutrina da Fé, a antiga Inquisição, me olhando desconfiados.

Era uma tribo que eu nunca tinha visto antes. Casais, grupos de amigos, muitos em seus trinta ou quarenta anos. Parecia uma noite de adultos fora, pessoas que vinham pelo amor à dança.

Na pista, dezenas de casais dançando. Havia um grupo também; o líder dizia o nome do passo, e eles rodopiavam e trocavam de parceiro com destreza digna de atletas olímpicos. A Sarah e eu nos entreolhamos. Éramos os patinhos feios em um lago cheio de cisnes.

Encontramos o grupo de nossa aula em um canto. Podíamos ficar com eles, pensei, observando os profissionais. Por que exibir nosso amadorismo?

— E aí, pronto para dançar? — a Sarah perguntou.

— Você viu *aquele pessoal ali*?

— Para de ser tão preocupado assim. Ninguém vai olhar para a gente. Está todo mundo se divertindo.

Levei um tempinho para lembrar os passos que havíamos aprendido e a Sarah me corrigiu quando saí do ritmo. Mas aí conseguimos fazer alguns passos e piruetas. Ela radiava alegria. Éramos amadores, mas, de certa maneira, ela era a rainha daquela pista.

Depois de duas músicas, pedi para sentar um pouco. Foi legal, adorei, eu disse a ela, mas agora precisava de uma pausa. Não estava acostumado a movimentos e emoções à meia-noite, afinal de contas. Sentei-me numa cadeira para deixar a adrenalina baixar e retomar a compostura.

Mal tinha sentado quando alguém parou na minha frente. Era uma mulher que eu nunca tinha visto. Ela me convidou para dançar. Eu semicerrei os olhos como para dizer *o quê?*, e ela perguntou de novo se eu queria dançar com ela.

A adrenalina disparou de novo e um alarme soou na minha cabeça. Olhei para Sarah tentando comunicar: "Vim para dançar com *você*". Ela assentiu gentilmente e disse: "Pode ir".

Fomos até a pista. A mulher ficou parada, aguardando minha iniciativa. É a regra: os homens conduzem e as mulheres seguem. Desejei que o feminismo tivesse chegado à pista de dança e que pudéssemos ter igualdade; como poderia eu conduzir aquela moça? Comecei a ir para a frente e para trás. Um, dois, três. Um, dois, três. Aí fizemos meio giro. Não tenho nenhuma memória de seu rosto, tão focado que estava em meus passos. Lembro-me apenas de suas pernas flexionadas, prontas para qualquer comando. Mas tudo o que eu podia fazer era um, dois, três, um, dois, três. Deve ter sido frustrante para ela, que podia fazer um montão de passos, mas o que eu podia fazer? Foi *ela* que tinha me convidado. Tentei um passo que havia aprendido, mas ela não entendeu meu comando, e voltamos ao um, dois, três, um, dois, três. Quando a música acabou, ela me agradeceu pela dança e eu pensei: *Sei, sei.*

— Você foi ótimo — a Sarah falou, tentando me consolar.

— Eu não queria, foi ela que me convidou…

— Não tem problema. Fico feliz que dançou com ela. Quer convidar a Bianca agora?

A Bianca fazia parte de nossa turma e tinha vindo conosco à boate. Àquela altura, havíamos feito amizade, mas eu não tinha ânimo nenhum para uma *terceira* parceira.

— Você está brincando? Fui massacrado!

— Ninguém a convidou ainda. Mostre um pouco de amor cristão. Ela vai ficar feliz.

Nunca tinha pensado que ouviria uma frase do tipo, dançar com outra mulher por amor cristão. Alguns rapazes adorariam essa permissão, mas a Sarah sabia que para mim seu pedido não estava longe do chamado de Jesus para levarmos nossa cruz.

— Me dá um minutinho.

VÍNHAMOS HAVIA ALGUM tempo falando de Deus com a Bianca. Não que ela fosse aberta ao assunto no começo: em nossa terceira aula de salsa, ela me perguntou o que eu fazia. Hesitei por um instante, sentindo o contraste entre minha profissão e o ambiente em que estávamos. Mas não consegui pensar num modo de mudar o rumo da conversa. A melhor resposta era mesmo dizer a verdade.

— Sou pastor... de uma igreja.

Aquela breve frase era mais do que ela podia processar. Ela inclinou a cabeça, franziu as sobrancelhas e ficou olhando para mim. Eu quase podia seguir seu raciocínio: *pastor... igreja... sacerdote,* e aí *esposa... filho... salsa...* O sacro e o profano eram misturados de um tal jeito que ela entrou em curto-circuito.

— Ah! — foi tudo o que conseguiu dizer. Ela tinha vindo a um ambiente secular (aula de salsa) com um objetivo secular (encontrar um namorado), mas a presença de alguém vinculado à igreja, e que misturava as bolas porque tinha uma esposa e um filho, era demais para ela. Percebi que uma conversa a respeito daquilo não iria dar certo, então inventei uma desculpa para conferir como o Pietro estava e deixá-la ter um tempinho.

Fiquei aliviado de retomar nossa amizade na quinta-feira seguinte. A Sarah e eu a ajudamos a organizar sua festa de aniversário, e um domingo ela veio conosco à igreja. Esse era o nó àquela altura, pois a parte da igreja não tinha dado certo. Não tínhamos ainda começado nossa congregação, onde tentaríamos ser sensíveis com os visitantes e usar linguagem compreensível, conscientes de que visitar um lugar novo, sobretudo uma igreja, causa alguma apreensão. Então, levamos a Bianca a uma igreja histórica, que tinha alguns detalhes que chamavam a atenção de um visitante: mulheres que usavam saias e cobriam a cabeça com um véu; hinos com letras difíceis e expressões em hebraico como *El Shaddai*; o culto que durava mais do que até eu aguentava. Se o pastor da igreja estivesse lá, essas distrações teriam sido compensadas, mas naquele domingo havia um pregador de fora, que gritava e não parava de falar e que disse que música *rock* era coisa do diabo. Pensei: *Pelo menos ele não disse que* salsa *era coisa do diabo*. Mas minhas autoconsolações não podiam esconder o fato de que a palavra mais positiva que a Bianca foi capaz de encontrar para descrever a experiência foi "interessante".

Dirigindo para a boate, explicamos para ela que estava tudo bem que ela tivesse ido à igreja usando calça, em vez de saia, e que não acreditávamos que o *rock* fosse do diabo. Mas sabíamos que precisaríamos emendar um pouco a situação, razão pela qual concordei em demonstrar um pouco de amor cristão à Bianca, mesmo depois de meu desastre na pista.

— Você quer dançar comigo? — perguntei depois de ter tido um tempinho para me recompor.

— Ah! — ela respondeu, mas desta vez positivamente. Em sua cabeça, ninguém dançaria com ela naquela noite. — Vamos lá!

Fizemos nossos passos básicos, pisamos nos dedões um do outro e rimos de nós mesmos. Éramos ruins, mas nos divertimos; fora de ritmo, mas fora de ritmo com convicção.

— Obrigado. Foi bom dançar — ela disse no final.

— Foi bom mesmo.

Pedi um copo de Coca-Cola e me sentei um pouco. Por duas horas, havia estado em modo de sobrevivência. Lembrei-me das festinhas na garagem da Wendy, da minha oposição à aula de salsa e do meu preconceito sobre ir a uma boate. Talvez a cafeína tenha começado a fazer efeito, mas conforme os cubos de gelo tocavam meus lábios e eu observava a pista de dança, minha atitude de rejeição deu lugar à compaixão. Era uma cena muito humana: pessoas se divertindo, exibindo suas coreografias e tentando ser aceitas umas pelas outras. Percebi que os papéis haviam se invertido: eu tinha ficado com medo de sair da minha zona de conforto, como aqueles dançarinos se sentiriam visitando uma igreja. Fiz papel de bobo também, mas sobrevivi.

O Gianluca, um rapaz que havíamos conhecido em San Lorenzo, se aproximou e nos convidou para um evento comunitário que iria acontecer naquele domingo. Todo o bairro estaria lá.

— Ótimo — respondi, honrado pelo convite. — Conte com a gente.

— Vamos para casa? — a Sarah perguntou.

— Vamos para casa — respondi, olhando à minha volta. Pensei em dizer que podíamos voltar um outro dia, mas quem sabe se eu sobreviveria a outra noite na pista de dança.

10
Complicações

VOLTAMOS DA BOATE, levamos o Pietro à aula de natação no sábado e no domingo fomos ao evento comunitário do Gianluca. Mas, chegando lá, uma pegadinha: o evento "do bairro" era organizado pela paróquia católica. À medida que observávamos as pessoas de San Lorenzo entrarem nos ônibus, percebemos que estavam indo a um retiro de um dia da paróquia.

— O que a gente faz? — perguntei para a Sarah.

— Vamos lá. Nos convidaram — ela respondeu.

— Não vai ser meio que invasão de campo?

Imaginei as pessoas perguntando quem éramos e as suspeitas que nasceriam quando detectassem um pastor protestante infiltrado no retiro da paróquia. Estava com medo de me expor e de correr o risco de ser rejeitado, é claro. Mas, àquela altura, também havia aprendido que minha vocação era facilmente mal compreendida em Roma. Quando as pessoas me perguntavam o que fazia, minha resposta, "Sou um pastor", por vezes produzia uma encarada confusa.

— Mas você está na cidade!

— Isso mesmo, moro aqui.

— Você mora em *Roma*?

Por um momento, parecia que a pessoa estava surpresa por encontrar um pastor protestante em Roma, uma cidade historicamente católica. Mas aí percebi que a confusão dizia respeito à criação de animais.

— Quero dizer, pastor de uma igreja! Não pastor de ovelhas.

— Ah, sim! Não estava entendendo, como um pastor podia morar na cidade!

Muitas outras vezes, porém, a confusão dizia mesmo respeito a religião. Foi o que a Sarah e eu encontramos quando pedimos vistos para uma viagem à Índia. O funcionário da embaixada, um italiano, era um homem meticuloso e atento às regras. Ele nos fez ir à embaixada quatro vezes: havíamos feito o pedido muito antes da viagem, depois era o momento certo mas faltava um documento, em seguida a validade do documento precisava ser atestada naquele mês. Na quarta visita, o problema era que tínhamos marcado "clero" como nossa profissão.

— Mas vocês são casados! — ele protestou.

— Sim, nós somos — respondi, não entendendo sua confusão.

— *Então...* — ele falou, deixando a insinuação no ar.

O celibato foi um dos debates nascidos durante a Reforma Protestante. Quando os reformadores traduziram a Bíblia e as pessoas começaram a ler as Escrituras, descobriram que o celibato sacerdotal havia sido instituído pela Igreja séculos depois de Jesus. É verdade que Jesus e o apóstolo Paulo não eram casados, mas os outros apóstolos eram, e uma vez Jesus curou a sogra de Pedro.[5] Maria era virgem quando concebeu Jesus, mas o Novo Testamento relata que ela e José depois tiveram outros filhos. O Evangelho de Mateus conta que Jesus tinha quatro irmãos — Tiago, José, Simão e Judas — e um número não especificado de irmãs.[6] Isso significa que o retrato medieval do menino Jesus sobre o colo de Maria era exato para aquele determinado momento, mas não indicava como a família depois se desenvolveu. Com o passar dos anos, o retrato familiar mostraria José sorrindo ao lado de Maria, quem sabe com o braço ao seu redor; Jesus, Tiago, José Jr., Simão e Judas ao lado dos pais; e pelo menos duas irmãs. Mostraria uma família grande, típica do antigo Oriente Médio, e muito humana. Com base no que encontraram nas Escrituras, os reformadores reconheceram tanto o casamento como o celibato como opções válidas para os pastores. Martinho Lutero se casou com uma freira, João Calvino com uma viúva, e a maior parte dos pastores protestantes desde então é casada.

— Os padres não podem se casar, mas nós podemos — respondi. — Não estou inventando! — acrescentei, quando o funcionário me olhou desconfiado.

— Ela é uma *religiosa* também? — perguntou, olhando para a Sarah. Ela usava um pouco de maquiagem e um colar; nada demais, para alguém que estava visitando uma embaixada. Não sabia o que a Sarah tinha feito de errado até que notei um grupo de freiras usando os mesmos hábitos brancos com listras azuis que a Madre Teresa usava. Irmãs visitando a sede em Calcutá, pensei.

— Quero dizer, não sou uma freira — a Sarah disse —, mas trabalho para uma organização cristã. Está vendo o nome? Não estou inventando.

O funcionário não se convenceu. Dava quase para ver as engrenagens se movendo em sua cabeça. Um padre casado? Nunca ouvi falar. Uma mulher que diz que é meio que uma freira, mas que não se parece com uma freira? E ela é casada com o padre? Esse pessoal quer me enganar.

Como muitos outros italianos, aquele funcionário não possuía uma categoria para cristãos não católicos. Em sua mente, cristianismo equivalia a catolicismo, e vice-versa. Alguns sabiam da existência de dois outros grandes grupos cristãos, mas os imaginavam "lá fora" — protestantes na Alemanha ou nos Estados Unidos e ortodoxos nos países do Leste Europeu —, não pessoas que poderiam encontrar por acaso em Roma. Quando eu me apresentava como protestante evangélico, aos poucos percebi que as pessoas não pensavam nas Noventa e Cinco Teses de Martinho Lutero ou nos esforços de Martin Luther King Jr. contra a segregação racial. Pensavam nas testemunhas de Jeová e em outras religiões que conheciam pouco, mas que acreditavam ser melhor manter bem longe.

Sou o primeiro a reconhecer que em cada tradição há extremos habitados por grupos e práticas esquisitas, e que os evangélicos não são exceção. Muitos ficaram demasiadamente alinhados a partidos políticos ou apresentam a fé como um meio de enriquecimento material. Esses excessos compõem justamente o que recebe mais destaque na mídia, e a sociedade, não sem alguma razão, entende que se trata de uma fé distorcida. O que muita gente não nota depois, porém, é que tantos cristãos fora dos holofotes agem em boa-fé e amam Deus e o próximo com sinceridade. Que é onde eu queria ajudar: ser uma das pessoas que apresentam uma expressão de fé que faz sentido, que não faz concessões e que ama de fato as pessoas. A fé cristã é linda, se pararmos para contemplá-la. Em suas formas mais puras, fez e continua a fazer um bem enorme.

O que esse pastor idealista aos poucos percebeu, todavia, era que a tradição cristã evangélica que me inspirava — a fé e a graça e a cruz de Cristo — em Roma não era conhecida e, na falta de categorias, muitas vezes caía na caixa das seitas e suspeitas.

Busquei exemplos para ajudar o funcionário da embaixada a nos situar no mapa cristão.

— Está vendo a igreja do outro lado da rua? É uma igreja metodista. O pastor lá é casado. A igreja ao lado é presbiteriana. O pastor deles é casado também.

Mas, para o funcionário, eu parecia estar complicando ainda mais as coisas. Dar *exemplos* de igrejas protestantes só fazia aumentar sua confusão. Como todo outro grande movimento de pessoas, temos subdivisões — luteranos, anglicanos, batistas, pentecostais — mas, para ele, eram nomes dos quais pouco ou nunca tinha ouvido falar.

Tendo exaurido meu arsenal de explicações históricas, pensei em ir direto ao ponto e apresentar o âmago da minha fé. Seria algo do tipo: a vida vale a pena e o futuro é promissor, porque vivemos em um mundo bom, criado por um Deus bom. Esse Deus decidiu não nos rejeitar por causa de nosso egoísmo e pecado, mas em vez disso entrou na história para construir uma ponte entre ele e a humanidade. Jesus nos amou, nos curou e agora nos oferece um convite: fazer de seu amor o centro de nossa vida, deixar para trás tudo o que é destrutivo e unir-nos à sua missão de fazer novas todas as coisas. Em vez de nos sentirmos um "zé-ninguém" ansioso por amor e sucesso a fim de nos tornar "alguém", podemos fazer do amor de Deus nosso ponto de partida e viver cheios de paz no coração.

Olhando para o funcionário, porém, explicar minha fé não parecia ser a melhor tática. Em nome da praticidade, tentei algo bem mais simples.

— Se a palavra "clero" é um problema, pode colocar outra coisa aí. Coordenador, administrador...

Ele concordou, mas só depois de assinarmos declarações dizendo que não converteríamos ninguém na Índia.

— Estamos apenas indo para uma conferência!

E HAVIA OCASIÕES em que a confusão a respeito de minha vocação era toda culpa minha, mesmo. Meu objetivo de ser um representante respeitável da fé desmoronou quando eu encontrei a Pina, uma aluna das aulas de salsa, enquanto saboreava um *cappuccino* no bar pela manhã. Eu não tinha feito a barba, não tinha tomado banho e tinha colocado a coisa mais fácil depois de uma noite de pouco sono: chinelos, bermuda e uma camiseta que usava já fazia uns dez anos. Indo para o bar, tive a sensação de que algo daria errado, de que tinha colocado roupas inapropriadas, mas aí pensei: *Ah, que nada, estou de boa.*

A Pina me perguntou o que eu fazia. Apoiei meu *cappuccino* no balcão, tentando lembrar se havia escovado os dentes, e respondi:

— Eu sou pastor... de uma igreja.

O silêncio ficou no ar, enquanto a Pina tentava conciliar minha resposta espiritual com minha aparência maltrapilha. Então, ela graciosamente fingiu que não havia nenhum problema e tivemos uma conversa agradável. Mas naquele dia eu tomei uma decisão: precisava começar a me vestir melhor.

TUDO ISSO QUERIA dizer que, enquanto cogitava ir incógnito ao retiro espiritual da paróquia, aquela me pareceu ser uma ideia bem arriscada. Eu teria de me apresentar? Como iriam reagir?

A possibilidade soou um alarme em minha cabeça também por um motivo pessoal: implicava entrar no território do Padre Antonio. Desde que havíamos nos mudado para San Lorenzo, na minha imaginação o Padre Antonio personificava calma e maturidade. Eu o via caminhar pelas ruas e pensava: *Lá vai uma pessoa distinta*. Não sei o que ele pensava de mim quando me via empurrar um carrinho com um polvo pirata pendurado.

A moçada hoje em dia quer ser o próximo empreendedor de sucesso ou craque de futebol. Quando eu pensava em quem queria ser quando crescer, pensava em alguém como o Padre Antonio. Ele falava italiano perfeitamente; eu ainda estava aprendendo. Tinha membros em sua igreja; eu não. Sua paróquia ocupava um quarteirão inteiro; a minha nem existia ainda. E ele se parecia com o Antonio Banderas.

Não que eu desejasse me parecer com um ator bonitão. Mas minha habilidade de inspirar confiança no Mundo Eclesiástico era prejudicada por um outro obstáculo: mesmo quando eu me vestia bem, não era o que as pessoas esperavam. Na Itália, o clero se apresenta em adoráveis estereótipos: freiras sorridentes, franciscanos em sandálias parecidas com as de Jesus, cardeais com o chapeuzinho, o papa acenando de branco. Eu usava roupas ordinárias em vez de hábitos religiosos e tinha 26 anos na época, muito embora as pessoas dissessem que eu parecia ter cinco ou até dez anos a menos. Elas franziam o rosto quando encontravam esse pastor jovenzinho com uma esposa e um filho. Eu não era velho; não era celibatário; chegava acompanhado de uma criança; a criança era barulhenta. Quem *é* esse cara?

Talvez os católicos tenham razão. Um sacerdote com filhos não combina muito bem. O que você acha que é mais religioso: ser calmo e sereno ou desajeitado e com crianças? Um ministro deveria ser uma pessoa atenciosa, centrada e apresentável. Mas você não ganha muito respeito se uma criança faz birra, e é a *sua* criança, e você claramente não sabe o que fazer.

Minha autoestima eclesiástica chegou ao fundo do poço quando, num sábado de manhã de verão, encontramos o

Padre Antonio enquanto saíamos para a praia. Ele estava tomando um café, sentado numa mesa em frente ao *Bar dei Belli*, com seu elegante uniforme: calça preta, sapatos pretos, camisa preta e colarinho sacerdotal. Eu estava usando chinelos, óculos de sol e roupa de praia. Sorrimos e acenamos, desejando um ao outro um bom dia. Mas conforme a Sarah empurrava o carrinho do Pietro e eu levava um guarda-sol e uma sacola com toalhas e protetor solar, pensei: *Minha credibilidade cristã já era.*

O que me traz ao obstáculo final à ideia de nos unirmos ao retiro da paróquia do bairro: o Pietro. A minha não é uma profissão na qual faz pouca diferença ter ou não filhos. Em Roma, os padres chegam à igreja portando dignidade, não mamadeiras, fraldas e uma criança vestida de Homem-Aranha. Eles têm pai e mãe e irmãos e irmãs, mas não cônjuge, filhos ou filhas, netos ou bisnetos. A santidade não gera famílias, não divide uma cama, não mora numa casa barulhenta. Eu sim, e podia facilmente imaginar choros e birras arruinando o silêncio do retiro da paróquia.

RODEI UM ALGORITMO na minha cabeça, calculando todas as razões para não subir naquele ônibus.

— Vamos lá! Vai ser uma chance de nos apresentarmos — a Sarah falou.

— Você acha?

— Não custa nada tentar.

Suspirei e decidi arriscar.

— Vamos lá.

Entramos no ônibus, participamos do retiro, e apesar de todos os meus temores, foi muito gostoso. As pessoas nos deram as boas-vindas. O Padre Antonio compartilhou sua visão para a paróquia. O Pietro se portou como um santinho.

Foi um dia para colocar estereótipos de lado e conhecer alguns dos rostos e nomes que animavam o bairro. Depois da palestra do Padre Antonio, o comentário que mais ouvimos das pessoas é que a paróquia se parecia com uma família. É como pareceu para nós também.

Depois do almoço, avistamos o Padre Antonio observando enquanto os paroquianos jogavam vários esportes em um campo de futebol.

— É a nossa chance — a Sarah falou.

Tomei coragem e me aproximei, junto com a Sarah e o Pietro no carrinho. Ele nos cumprimentou e perguntou nossos nomes. Eu gaguejei e cometi erros de italiano, mas consegui explicar quem éramos, que havíamos nos mudado recentemente para o bairro e que eu planejava começar outra igreja lá. Parecia ser uma ideia nova para ele, que alguém pudesse chegar e simplesmente *começar* uma igreja. Mas sua reação me aliviou: ele estava genuinamente feliz de nos conhecer. Tratou-me como um colega de ministério, nos agradeceu por termos nos apresentado e nos saudou.

A Sarah e eu nos sentamos em um banco em frente ao campo de futebol.

— Deu tudo certo — a Sarah falou.

— Deu mesmo, né? — respondi, feliz de ver que os cenários catastróficos que passaram por minha imaginação não haviam se realizado. Ao longo dos anos, a igreja do Padre Antonio nos recebeu muitas outras vezes. O Pietro e o Matteo, nosso segundo filho, fizeram aulas de futebol no campinho da paróquia e se divertiram na escolinha de verão que organizavam em junho.

Um grupo chamou minha atenção. Membros da paróquia dançavam e jogavam com jovens com Síndrome de Down.

Era uma cena admirável, vê-los fazer gols e celebrar. Observando seus rostos radiantes, notei algumas de minhas emoções também. Eu também queria celebrar. Percebi que meu medo de diferenças religiosas e preconceitos sociais era, no final das contas, um medo de ser rejeitado e incompreendido. Ser recebido pelo Padre Antonio e sua paróquia me lembrou o adolescente tímido que tinha sido, a igreja que me acolheu na época e meu desejo de oferecer o mesmo a outros.

Subimos no ônibus que voltava a San Lorenzo nos sentindo acolhidos no bairro. Isso nos deu coragem para nos apresentarmos a outras comunidades. Fiquei com menos receio de encontrar o Padre Antonio no bar também.

11
Começando a escola

QUANDO O OUTONO CHEGOU, nossa família enfrentou um dilema: o Pietro deveria começar a frequentar a escolinha?

Até aquele momento, o Pietro nos acompanhava ao trabalho. Eu o levava comigo a algumas de minhas visitas pastorais e a Sarah o levava à universidade para encontros com os estudantes, que adoravam o bebê mascote. Em outros momentos nos alternávamos: durante o verão eu ficava com ele pela manhã enquanto a Sarah tinha aulas de italiano, e ela fazia o mesmo para mim à tarde.

Mas quando o trabalho começou para valer, desejamos encontrar um ambiente mais sereno para o Pietro. Ele começou a bater em seu rival pela nossa atenção — o computador — e a fazer birra se nossas reuniões se alongavam. Pensamos em nós, também: não poderíamos contar com a adrenalina que nos carregou nos primeiros meses de vida do Pietro e na mudança de país por mais muito tempo. Precisávamos de ajuda. Não tínhamos família por perto. Podíamos recrutar babás só vez em quando. Isso nos deixava com somente uma rede de apoio sempre por perto: aparecer como um bagaço no bar para o *cappuccino* da manhã.

Encontramos uma escolinha não muito longe de casa, que contava com um jardim para atividades externas, comida gostosa (nós experimentamos!) e professoras que pareciam amar as crianças. Mas a Sarah e eu ainda estávamos divididos. Ele ficaria bem lá? Era cedo demais? Quando considerávamos a ideia na hora do almoço, a escolinha parecia um passo saudável para seu desenvolvimento e uma ajuda para nosso equilíbrio familiar. Quando tocávamos no assunto novamente no jantar, nos perguntávamos se éramos pais horríveis. Quando chegava a hora de dormir e eu colocava a cabeça no travesseiro, imaginava a Cristine listando as razões pelas quais a escolinha estragaria nosso bebê.

Motivo nº 1: Significa que seu filho não é sua prioridade.

Motivo nº 2: Você acha que desconhecidos vão cuidar dele melhor do que você.

Motivo nº 3: Quem sabe o que pode acontecer lá?

Motivo nº 4: Estudos mostram que é uma fase essencial para a formação da criança.

Motivo nº 5: E se ele der seu primeiro passo e você não estiver lá para ver?

NÃO QUERÍAMOS TOMAR a decisão sem pensar bem a respeito. A escola nos propôs um *inserimento,* uma fase teste para ver como o Pietro se ambientaria. Aquela nos pareceu uma boa ideia. A Sarah ficou com ele na sala por uma hora, depois por uma manhã inteira, e então o Pietro ficou com a professora por uma hora. Podíamos ver o entusiasmo dele enquanto explorava a sala e brincava com outras crianças. Ainda restavam algumas dúvidas, mas por fim decidimos tentar.

Quando o primeiro dia "de aula" chegou, ficamos esperando do lado de fora da escolinha, prontos para correr lá para dentro caso a professora nos chamasse. Quinze minutos se passaram. Depois, meia hora. Decidimos esperar no café no fim da rua. A Sarah pediu um *latte macchiato,* eu um *cappuccino,* e nos sentamos numa mesa na calçada. O sol brilhava e a folhagem das árvores começava a ter tons de amarelo e de laranja. Conferimos o celular: nenhum sinal de problema na escola. Isso estava mesmo acontecendo? A vida adulta, mesmo que por algumas poucas horas, ainda era possível?

— Vamos tirar um dia de folga — a Sarah sugeriu. — Nada de trabalho. Só a gente.

Fiquei sem palavras, não acreditando na possibilidade de um dia sem ter de trabalhar ou cuidar de uma criança. Parecia bom demais para ser verdade. Tipo, *realmente* de folga? Deveríamos nos sentir culpados, pensei. Deveríamos trabalhar compulsivamente, para justificar a ida do Pietro à escolinha.

— Por que não? Vamos lá! — ela continuou.

— Vamos pedir alguma outra coisa — eu disse. — Se não nos chamarem na próxima meia hora....

Nossos sanduíches tinham sabor de *prosciutto, mozzarella* e liberdade. O dia brilhava e a brisa do outono anunciava a chegada de uma nova era. A escolinha não nos chamou, então pagamos a conta e saímos daquele café nos sentindo como os sobreviventes de um campo de prisioneiros ao fim de uma guerra.

PASSAMOS O DIA em casa, caso a escolinha nos chamasse e tivéssemos de correr para lá. Mas nossa mente voava longe, tentando entender aquela nova fase. Não dispúnhamos de escritório ou divisas físicas para nosso trabalho, pois trabalhávamos em casa e encontrávamos as pessoas em vários outros lugares. Ainda assim, a escola nos ajudou a estruturar o tempo: podíamos marcar alguns compromissos à noite ou nos fins de semana, mas levar o Pietro de manhã e buscá-lo de tarde nos ajudou a delimitar as horas "de escritório".

Acima de tudo, naquele dia conversamos sobre possibilidades *fora do trabalho*. Um piquenique no parque seria possível? Uma visita rápida à praia? Com o tempo, inventamos uma tradição familiar: uma vez por semestre, quando a rotina imperava e as pressões do trabalho nos sobrepujavam, dirigíamos rumo a um spa fora da cidade. Podíamos ficar lá por poucas horas, enquanto o Pietro estava na escola, mas os 25 euros que pagávamos mais que compensavam o valor. Relaxar na *jacuzzi*, suar na sauna e deitar em colchões d'água nos levavam a outra realidade. O hotel onde ficava o spa oferecia um bufê vegetariano, e curtíamos as abobrinhas, berinjelas e tomates vagarosamente, deixando o corpo descansar e a mente desconectar.

No meio da rotina, nossas conversas aconteciam aos fragmentos, geralmente sobre o que estava para acontecer na semana. Mas uma mudança de ambiente nos ajudava a acessar emoções mais profundas e falar sobre nossas vocações, sobre nossa situação como família e em que aspectos poderíamos crescer. Já de tarde tínhamos de voltar à cidade, a cozinhar e a limpar, mas com corpos que pareciam mais leves e espíritos que voltavam a sonhar.

TRATAVA-SE DA EXCEÇÃO, obviamente. Quando o semestre engrenava, os dias eram repletos de trabalho, afazeres domésticos e um problema inesperado: os resfriados. Com a chegada do frio, as doenças passavam de criança para criança de modo impressionante. O Pietro ficava muitas vezes em casa, o que nos fazia postergar compromissos do trabalho e conhecer outros pilares da comunidade: as farmácias e os pediatras. O primeiro grupo era sempre muito simpático. O pediatra do Pietro, porém, tinha um jeito de quem não gostava de crianças. Eu sentia compaixão por ele, observando sua sala de espera sempre cheia de pais preocupados e crianças que tossiam. Mas quando chegava nossa vez e ele nos recebia com um olhar de "ah, não, vocês de novo", não nos sentíamos muito acolhidos. O Pietro começava a chorar, a Sarah desenvolveu uma postura de confronto e eu tentava acalmar os ânimos e nos tirar de lá o mais rápido possível. Deixávamos o consultório dizendo que nunca mais voltaríamos. Mas lá estávamos nós de novo poucas semanas depois.

Nossos sentimentos de gratidão e idealização da escola foram se deteriorando quando nos demos conta de que as doenças não eram o único fator que reduziam sua confiabilidade. Havia também greves de professores. Eu achei uma das coisas mais cruéis que um ser humano podia fazer a outro. Uma greve na *escolinha*? E eu? O meu trabalho? A economia?

Um dia, compartilhei minha incredulidade com uma mãe, que me deu uma lição sobre o direito dos trabalhadores de fazer greve quando quiserem.

— Mas não dá para avisar com antecedência, pelo menos?

— Tem que causar inconveniência — ela respondeu. — Só assim a greve funciona.

A Sarah e eu ficamos estupefatos, especialmente quando o verão chegou e fomos expostos a uma tradição italiana: greves gerais nas sextas-feiras de junho. Talvez seja quando os trabalhadores dos meios de transporte tenham de renegociar seus contratos, mas achei curioso que as greves aconteciam bem quando começava a ficar quente e se podia prolongar o fim de semana. *Hum,* pensei. *Por que não fazer greve numa quarta-feira fria de novembro?*

As mudanças frequentes bagunçavam nossos planos. Às vezes, era fácil reorganizar nossa agenda. Outras vezes, porém, como quando convidei um professor ateu para debater comigo no gramado central da universidade de Roma, tínhamos de levar uma criança doente ao trabalho. *Está brincando, Senhor?*, pensei. Já estava com medo de fazer papel de bobo e contribuir para mais pessoas desacreditarem em Deus do que o contrário. Agora, o ateu podia simplesmente dizer: "Se Deus existisse, ele teria deixado seu filho com saúde e o poupado desse constrangimento. Nada mais a declarar".

A Sarah e eu tentamos bolar alternativas para a escolinha, mas muitas vezes acabávamos discutindo sobre quem tinha as reuniões mais importantes no dia e quem deveria cancelar seus compromissos. Aí nos perguntávamos: como é que agiam as outras famílias? O quebra-cabeças não fazia sentido, até que descobrimos os heróis e heroínas da sociedade italiana. Preparem o tapete vermelho, coloquem a música, pois aí vêm os *avós*! Os pais podiam continuar a trabalhar e a economia a funcionar, porque os *nonni* estavam prontos para ajudar no caso de doenças, greves ou qualquer outro imprevisto. Minha admiração por esses avós superenvolvidos cresceu ainda mais quando descobri que muitos compravam apartamentos para os filhos adultos e levavam os netos para passar um mês na praia ao término do ano escolar.

Quando moramos no Canadá logo depois de nos casar, ficamos felizes de começar nossa própria família longe dos pais. Mas depois que o Pietro nasceu, eu podia ver as desvantagens de morar longe de avós, tios e tias. Demos nosso melhor para amar nosso filho, mas há coisas que só outras pessoas podem oferecer: outros pontos de vista, fontes variadas de afeto e um senso de história, perspectiva e família.

Eu quero nonni *assim*, suspirava, assistindo às senhorinhas pegando os netos na escolinha, muitas vezes trazendo um pedaço de *pizza* quentinho para a criança ir comendo já na saída. O adulto em mim cobiçava a rede de suporte fornecida por avós que moravam por perto, enquanto meu menino interior desejava que aquela avó amorosa reparasse em mim.

— Você merece um pedaço também — ela dizia na minha imaginação, me dando um pedaço de *pizza* transbordando de queijo.

— 'Brigado, vó — eu respondia.

Não raro a escolinha fazia que eu me sentisse uma criança de novo. Nunca havia me sentido tão adulto, levando *o meu filho* à sala de aula. Mas aquelas paredes coloridas e ecos de brincadeiras também me remetiam à minha infância. Eu me imaginava subindo em árvores, abrindo a lancheira e segurando uma joaninha. Também ansiava pela avó que nunca me pegou na escola, pois minha avó materna faleceu no ano em que nasci e minha avó paterna morava a oito horas de viagem.

Nas manhãs, o Pietro ia alegremente para a escolinha, mas eu me colocava em seu lugar e me sentia tenso por ele. Uma memória em particular ressurgia: a noite antes de começar a primeira série, em que fui dormir já com o uniforme da escola para ter certeza de que estaria pronto no dia seguinte. Aí, quando eu deixava o mundo adulto e pegava o Pietro de tarde, *flashs* de meus rabiscos apareciam quando eu observava os desenhos pendurados nas paredes. Como criança, eu amava figuras simétricas e cores paralelas. Desejava que alguém pudesse elogiar meus desenhos, acariciar minha cabeça e dizer que eu era um bom menino.

Quando cheguei para buscar o Pietro uma tarde, as crianças coloriam com giz de cera enquanto a "Aquarela", do Toquinho, tocava na rádio. Fazia anos que não ouvia aquela música; sua melodia leve e letra imaginativa me transportaram de volta à infância. Por um segundo, eu era uma daquelas crianças, colocando no papel o que passava pela cabeça. Estava tudo bem e as crianças podiam voar, conforme a realidade e a fantasia se misturavam em minha mente. Então olhei para as professoras, duas moças jovens. Elas estavam dançando. Curtiam a melodia e o momento de calma, mas, na minha mente, também lançavam um feitiço benigno sobre aquela classe, como fadas presidindo uma sessão de tempo mágico dedicado à infância, à criatividade e a possibilidades infinitas. Era um momento tão puro que elas continuaram dançando e as crianças continuaram em seus mundos encantados quando eu balbuciei que tinha vindo buscar o Pietro.

Ele me mostrou seu desenho. Era um rabisco que não fazia nenhum sentido. Mas eu o peguei em meus braços, dei um beijo em sua bochecha gordinha, e disse que era lindo.

12
Reanimando o casamento

Alguns meses depois que o Pietro começou a escolinha, a Sarah e eu tivemos uma folga. O pequeno imã atraiu visitantes de longe. O Roberto e a Vânia disseram que sentiam nossa falta, mas sacamos tudo. Sentiam falta de Outra Pessoa. Eu ganhei um abraço rápido, mas o Pietro foi segurado, recebeu presentes e estava em todas as fotos. Não que eu tenha ficado com ciúmes. Talvez um pouco.

A visita deles nos fez sentir que o reforço havia chegado às trincheiras da paternidade. A Vânia ajudou com a louça e com as trocas de fraldas. O Roberto colocava o Pietro para dormir. Por uma semana, não estávamos mais sozinhos. Podíamos admitir que era mesmo difícil, observá-los enquanto assumiam a maior parte dos cuidados do Pietro e perceber que nossa fase passaria rápido e que logo seríamos nós que nos tornaríamos avós.

Naquela época, o Pietro estava aprendendo a ficar sentado e se mover. As menores descobertas nos faziam agachar e torcer por ele. Ele acenava com a mão, e nós aplaudíamos. Ele sorria, e seu sorriso desdentado era registrado em treze fotos. Quando visitamos a *Villa Borghese,* o principal parque de Roma, empurrei um carrinho vazio, pois o Roberto o levava em seus braços, mostrando as fontes, os patos e os pôneis. Percebi que existem poucas coisas mais gratificantes para um pai do que ver seu filho ser amado por outras pessoas.

Também notei um clima curioso debaixo daquele festival de carinho. Eu estava ansioso por fazer tudo direitinho e mostrar ao Roberto e à Vânia que cuidava bem de sua filha e de seu neto. O Roberto, por sua vez, nos falava de sua nova moto e das viagens que ele e a Vânia estavam fazendo. Lendo nas entrelinhas, notei uma competição sutil entre homens querendo demonstrar sua competência e masculinidade. Eu não queria alimentar essa dinâmica, mas não pude recusar um estímulo ao ego quando dirigimos para o centro, encontrei uma vaga bem apertada e consegui estacionar lá. Quando desci do caro, um homem inclinado contra o muro tirou o cigarro de sua boca e disse: "Isso é o que eu chamo de estacionar". O elogio fez maravilhas para minha autoestima, especialmente quando o Roberto perguntou o que ele tinha dito e eu repeti a frase. Naquele almoço, o Roberto propôs pagar toda a conta, e eu não fiz nenhuma objeção.

No final da estadia deles, a tia Lita, uma das tias da Sarah, se uniu a nós e se revelou uma ótima hóspede. Não só se ofereceu para lavar as louças e deixou uma nota de cinquenta euros em cima da mesa — "sabe como é, para ajudar com as despesas" — como também nos deu o presente de que a Sarah e eu mais precisávamos: ter tempo juntos. Em sua última noite, propôs tomar conta do Pietro e nos dar uma noite romântica fora.

A Sarah e eu nos entreolhamos. *Mesmo? Isso ainda é possível?*

Não havíamos tido uma noite do tipo desde o nascimento do Pietro, e dava para perceber. Ficávamos de moletom em casa. Eu fazia a barba com menos frequência. Pequenas tensões se acumulavam. Não havia descanso, exceto quando dormíamos. O sono era interrompido também.

Se um choro de criança interrompia sonhos em um ciclo de sono profundo, a coisa podia ficar feia.

— É a sua vez — um de nós resmungava.

— Não, é a sua — o outro respondia.

— Eu não vou.

— Você é tão egoísta.

— Estou acabado.

— Não dá para acreditar.

— Eu vou, mas fique aí orando para que eu não jogue ele contra a parede.

Ter um filho suscitou o melhor e o pior em nós. Havia momentos de ternura incrível e momentos em que eu queria pegar um voo para Qualquer Outro Lugar. Havia fases de estafa em que o cérebro desligava as funções não vitais e havia relampejos de lucidez em que pensava: *Este é o propósito da vida.* Havia manhãs em que eu levava o Pietro ao parquinho para a Sarah dormir mais e havia noites em que dizia: "É a minha vez de escolher o filme", mesmo que soubesse que a Sarah não gostaria de assistir a cenas de alienígenas invadindo a Terra.

Quando eu era adolescente, um amigo mais velho me avisou que o casamento mudaria minha vida para sempre. Aí ele parou, o olhar perdido em um horizonte distante. "Mas espera só os filhos", ele continuou. "Vão *realmente* mudar a sua vida."

Fiquei grato pelo aviso, pois ter um filho *realmente* mudou minha vida. Uma semana acumulava tantas memórias quanto um mês de antes, a vida se intensificou, e nós envelhecemos. No sentido negativo e positivo: os primeiros cabelos brancos apareceram, mas também um senso de sabedoria, um novo respeito pela vida. Podia apreciar a felicidade duradoura produzida por virtudes raramente apreciadas hoje, como a estabilidade, a constância e a fidelidade.

Ao mesmo tempo, parte de mim não queria perder qualidades que também têm valor, como o entusiasmo, o romance e a espontaneidade. Por vezes, fiquei com medo de que o amor que a Sarah e eu compartilhávamos pelo Pietro ocupasse o espaço de nosso amor conjugal. *Se fôssemos afetuosos com ele, deixaríamos de ser afetuosos um com o outro?*

Para um homem, esses medos são especialmente sensíveis quando o assunto é *aquele*. Percebi que depois que nosso filho nasceu, nossas relações amorosas se tornaram mais complexas e significativas. Antes, eu sabia que bebês eram concebidos durante o sexo, mas não sabia *realmente*. Minha mente continha esse conhecimento teórico, mas ainda tentava separar a sexualidade da reprodução, o prazer da responsabilidade, o presente do futuro, a vida de mais vida. Depois que o Pietro chegou, eu aprendi, e com muita clareza, que a cama pode levar ao berço e que nosso abraço pode trazer uma nova pessoa a nossos braços. Agora eu podia acelerar a linha do tempo na minha cabeça — a barriga, o parto, o primeiro dia na escolinha — com nitidez impressionante. Essa percepção fez do sexo um ato de consequências profundas: não uma fuga da realidade, mas uma maior encarnação na vida.

O Pietro deixou nossa sexualidade engraçada também. Se estávamos com vontade enquanto ele estava por perto, até poderíamos ir em frente e começar um beijão, mas acabávamos rindo da incongruência entre nosso clima esquentado e a inocência que brincava no outro quarto. Se deixávamos para depois, acabávamos em situação meio patética: cansados no final do dia, sem nenhum desejo e segurando as mãos como mamãe e papai.

Uma tarde, a Sarah tentou fazer uma "prévia" enquanto o Pietro e eu estávamos no sofá. Uma mão *sexy* apareceu por trás da porta. Aí uma perna. A cabeça inclinando para trás e o cabelo escorrendo como numa propaganda de xampu. Não pude resistir: caí na risada. Quando ela subiu na mesinha da sala, o Pietro estava batendo palma para a dança da mamãe, enquanto eu estava no chão, tentando dizer "você é linda", mas rindo de tudo aquilo. O romance se concluiu com a gente dançando com o Pietro e jogando-o para cima e para baixo.

ISSO QUER DIZER que a oferta de uma babá grátis não nos deixou indiferentes. Nosso entusiasmo pela oferta da tia Lita só podia ser expresso por um número excessivo de maiúsculas, vogais e pontos de exclamação: UMA NOITE FORAAA!!!

Foi estranho caminhar livremente. Nenhum carrinho. Nenhuma bolsa com fraldas. Nenhuma existência infantil que dependesse de nós. Caminhávamos pelas ruas de paralelepípedos que levavam à *Piazza Navona* sem pensar se acordariam um bebê que dormia. Éramos livres, tão livres.

Uma outra coisa deixou aquela caminhada diferente: éramos duas pessoas normais na multidão, passando despercebidos. Naquele ponto, eu já estava mimado pela atenção que um bebê atrai: carros param para você atravessar, velhinhos lhe dão parabéns por trazer uma criança ao mundo, mulheres sorriem para você, enquanto os homens o olham com aquela cara de "amigo, no que foi que você se enfiou?". É um segredo que pensei em compartilhar com os rapazes malhando na academia: um bebê vai conquistar muito mais atenção feminina do que supermúsculos.

#Ficaadica para a rapaziada: seja gentil. Tome a iniciativa de cuidar do bebê de seu amigo. Você não só vai ajudar um ser humano exausto. *Vai impressionar as meninas*. Lembra-se da mulher dos seus sonhos? É muita areia para seu

caminhãozinho. Nenhuma cantada vai conquistá-la. Nenhum troféu vai impressioná-la. Mas quando ela vir você cuidando do filho de uma outra pessoa, *Ounnnnnnn*, vai suspirar, se imaginando como noiva prestes a casar com esse homem generoso que ajuda um amigo e está mais que preparado para começar uma família.

Viu? Ajude. Seja gentil. E a coisa mais importante: se quiser cuidar da minha criança de graça, é só ligar.

A Sarah e eu caminhamos como um casal qualquer, nada diferentes dos turistas ao nosso redor. Mas estava tudo bem. A noite fora era nosso grito de liberdade.

Desta vez, a *Piazza Navona* não tinha um carrossel ou carrinhos de algodão-doce. Estava vestida para a noite: fontes iluminadas, restaurantes à luz de velas e artistas que apresentavam seus quadros como ícones de cor no crepúsculo. Sentamo-nos em frente à fonte central, a *Fontana dei Quattro Fiumi* de Bernini. O som das águas que fluíam se misturava com o saxofone que um músico tocava por perto.

— Que romântico! — a Sarah exclamou, inclinando-se junto a mim.

— Faz muito tempo, hein? — confessei.

O momento pareceu surreal, depois velho, e depois novo. Surreal, porque era difícil acreditar que podíamos sair como casal e não só como família. Estávamos tão acostumados a uma vida em três que parecia faltar uma parte de nós. Aí o momento ficou agradavelmente familiar, enquanto revivíamos a primeira camada de nosso relacionamento e nos tornamos os namoradinhos que se conheceram anos antes. E, depois de um tempo, estar com a Sarah num banco da praça enquanto o Pietro estava em casa pareceu algo novo também.

Era a primeira vez que saíamos depois de nos tornarmos pai e mãe para o Pietro e, percebemos, de certo modo também um para o outro. A paternidade fortaleceu nosso lado responsável e nos lembrou que de vez em quando o pequeno menino e a pequena menina dentro de nós também precisam de ternura. Ser pai e mãe nos deu maior consciência de nossa criança interior e aumentou nossa confiança na capacidade de cuidado do outro. Por isso, podíamos adotar várias posturas ao longo do dia. Às vezes nos conectávamos como parceiros de vida. Outras vezes, como melhores amigos, colegas engajados em um projeto comum ou coinquilinos que falavam sobre praticidades e colocar o lixo para fora. Além desses, a parentalidade nos deu novas possibilidades: nos relacionarmos como pais que educavam um filho e que, de vez em quando, cuidavam da criança dentro de si ou do outro.

— Como será que está o Pietro? — me perguntei, voltando à realidade.

— Passou só uma hora e já estou com saudades dele! — a Sarah acrescentou.

Percebi que precisávamos expressar sentimentos conflitantes. Admirar a *Piazza Navona* era uma alegria. Mas esquecer nosso filho por algumas horas parecia uma traição, também. Nós nos sentíamos culpados por estar felizes sem ele.

— E se ele estiver surtando e a tia Lita não tiver a menor ideia do que fazer? — perguntei.

A questão pairou no ar. Sim, aquilo poderia estar acontecendo. Mas, como cúmplices que preferem não encontrar palavras para seu crime, olhamos um para o outro como que dizendo "provavelmente não". A noite parecia tão promissora, os arredores tão lindos. Melhor esquecer as preocupações e curtir a noitada fora ao máximo.

— Hora de comer? — a Sarah perguntou.

Caminhamos até os restaurantes na face norte da *Piazza Navona*. Mesas na calçada e recepcionistas persuadiam quem passava a comer lá. O primeiro recepcionista que nos viu perguntou se estávamos em lua de mel.

Por que não?, respondemos, e passamos uma noite cheia de conversas e de lembranças em seu restaurante.

QUANDO CHEGAMOS EM CASA, perguntamos ansiosamente à tia Lita como tinha sido. Tudo tranquilo, ela respondeu. O Pietro dormiu na hora e não acordou mais. Respiramos aliviados e a agradecemos várias vezes, explicando quanto a noite fora havia significado para nós.

Preparamos o sofá da sala para ela, dissemos boa noite e fingimos ir dormir. Do modo mais silencioso possível. Debaixo das cobertas. No escuro. E demos risada, muita risada.

13
Recuperando a sanidade

Ao longo dos meses, o Pietro foi passando de uma fase para outra com velocidade impressionante. Virar de barriga para baixo. Sentar. Engatinhar. Levantar. Quando tinha um ano e meio, podia falar as primeiras palavras e correr com um sorrisão no rosto.

Comigo aconteceu o contrário. Senti como se regredisse a versões precedentes de mim mesmo. Como o personagem de um filme abalado por uma explosão, minha experiência da realidade ficou entorpecida. Via os arredores e escutava os barulhos, mas sem realmente perceber ou ouvir. Exteriormente, mantive os movimentos de um bom pai — fazer compras, colocar o Pietro para dormir — mas as emoções nem sempre acompanhavam as ações. De certo modo, é um fenômeno comum: se só fizéssemos o que temos vontade de fazer, não realizaríamos nada que requer esforço prolongado. Mas percebi que algo mais estava acontecendo: eu tinha me rebaixado ao modo de sobrevivência. Minha vida não era a mesma. Eu não era o mesmo. O que estava acontecendo?

Um sintoma em particular me chamou a atenção: os novos mecanismos de defesa que havia desenvolvido desde o nascimento do Pietro. O primeiro foi me arrastar até o bar de manhã e curtir um *cappuccino* e um *cornetto* de chocolate. Uma injeção irresistível de cafeína, açúcar e prazer depois de uma noite mal dormida. Eu dizia a mim mesmo que era para aumentar minha produtividade, mas meu novo ritual matutino pouco contribuiu para minhas cilindradas intelectuais e muito para a circunferência de meu abdome.

O segundo mecanismo chegou na hora certa: o primeiro ano do Pietro coincidiu com a chegada dos objetos que dominaram nossas mãos desde então, os *smartphones*. O *timing* não poderia ter sido mais certeiro. O celular me fornecia estímulos infinitos, me dava uma justificativa para desconectar da realidade e me ajudava a aliviar a frustração e o estresse. A Sarah me pegou uma vez no telefone, pulando de aplicativo para aplicativo e de mensagem para mensagem e disse que eu parecia um viciado. É verdade, parecia mesmo.

O que me traz ao sintoma que me causou maior preocupação: eu não estava mais orando. Ter um filho afetou minha identidade, meu casamento e, agora me dava conta, minha vida interior também. Tive uma crise de fé, só que emocional em vez de intelectual. Meu espírito estava ressecado, capengando em meio aos afazeres do dia a dia. Agradecia a Deus pelas refeições, mas eram palavras vazias. Deus estava presente, mas eu não.

De certo modo, é um desafio que todos nós enfrentamos: as mil distrações que nos fazem perder o rumo, nos desconectar dos outros e deixar de estar presentes no casamento ou para nós mesmos. É um sentimento tão comum na vida adulta que Dante o usou para começar sua *Divina comédia*:

> No meio do caminho de nossa vida
> me encontrei numa floresta escura,
> tendo perdido a trilha certa. [...]
>
> Não sei bem dizer como ali cheguei,
> estava com tanto sono
> que tinha abandonado o bom caminho.[7]

Um dia tive essa percepção também: eu havia me tornado uma pessoa superficial. Recomecei a ler livros, depois de tê-los abandonado por leituras rápidas no *smartphone*. Retomei os exercícios físicos e abandonei os *cornetti* matinais. Mas sabia que minha vida interior seria a base de todo o resto. Perguntei a mim mesmo: como poderia restaurar minha fé enquanto aquele menino bonitinho estava por perto? Ir para um retiro por alguns dias seria fácil, e efêmero. Mais cedo ou mais tarde não poderia mais separar a espiritualidade da domesticidade e a fé da família, dos problemas e das crianças. Minha sanidade em longo prazo dependia de minha capacidade de integrar as coisas. Como podia nutrir a alma não só em solitude, mas também no meio da vida familiar?

Depois de meses de procrastinação, bolei um plano. Tinha de acertar as coisas com Deus. E tinha de fazê-lo na companhia de minhas distrações: *nós* tínhamos de fazê-lo, o Pietro e eu. O apóstolo Paulo ensinou uma das igrejas que fundou na Grécia a orar continuamente,[8] uma instrução que um cozinheiro de um monastério carmelita do século 17 praticou de modo literal, orando não só em momentos designados, mas também enquanto cozinhava. A história do Irmão Lourenço, relatada na obra *Praticando a presença de Deus*, tornou-se um clássico espiritual. Seus intentos foram replicados por um missionário protestante nas Filipinas, Frank Laubach, que também alcançou ápices místicos impressionantes.[9]

Pensei em fazer uma tentativa também. Se um buscou orar na cozinha e o outro na selva, meu retiro espiritual aconteceria em ônibus e parquinhos no sábado quando a Sarah viajou a trabalho.

Bom, pelo menos tentei.

UM RAIO DE LUZ penetrou minha consciência, luz que vinha da porta. Virei para o lado. O Pietro estava ao lado da minha cama.

— Suco.

Que dia é esse? Ah, lembrei, é o sábado do retiro. *Senhor, não estou pronto,* orei. *Me dá só um minutinho.*

— Você quer suco? — respondi. — Deixei um copo em cima da mesa.

— Não. Papai!

— Você quer que eu venha? Mas estou tão cansado! Vai lá pegar. Está em cima da mesa.

— Papai! Papai!

Enfim me levantei e caminhei com o Pietro até a cozinha. Ele bebeu seu copo de suco matutino.

— Quer ver um desenho? — perguntei.

— Ah... ah... — balbuciou, tentando decidir. — Peppa Pig!

Peguei um travesseiro, deitei o Pietro na frente da tevê e me joguei no sofá. *Senhor, vou ter que te desapontar. Essa coisa do retiro parecia uma boa ideia, mas agora...*

A musiquinha da Peppa Pig começou a tocar. "Eu sou a Peppa."

Sei que digo isso tantas vezes, continuei, *mas estou mesmo exausto. Não são nem sete da manhã. Opa, espera aí, essa parte é legal.*

"Esse é o meu irmãozinho George." *Adoro o George!* "Essa é a minha mamãe. E esse é o meu papai." A família ri do arrotão do Papai Pig.

Tudo bem se eu deixar o retiro para outro dia, Senhor?, pensei. *Hoje só tenho ânimo para ficar desanimado. E para a Peppa Pig.*

Peguei o celular. Nenhuma grande notícia, nada acontece no sábado cedinho. Conferi a previsão do tempo. *Ah, não!*

Nuvem cinza com algumas gotas de chuva? Viu só, Senhor? Vai chover de tarde. Não que eu esteja procurando uma desculpa. Estou só cansado... e triste. Estou ficando deprimido?

— O papai vai tomar banho, tudo bem?

O Pietro nem piscou — a Peppa estava procurando ovos de dinossauros.

Entrei debaixo do chuveiro e fechei os olhos. *Água quentinha, que delícia.* A cena de um sonho voltou à minha consciência. Peguei o xampu e massageei a cabeça. *Por que estou deprimido?*, me perguntei, antes de decidir não fazer a barba naquele dia.

Vesti-me, preparei o café e dei cereal com leite ao Pietro.

— Mamãe? — ele perguntou, enquanto lhe dava uma colher de Sucrilhos.

— A mamãe foi para uma coisa do trabalho hoje. Vai voltar de noite.

— Vião alto alto alto!

— Não foi de avião desta vez. Ela foi com o carro.

— Papai? Alto alto alto!

Fomos para o meu quarto e nos dedicamos à brincadeira preferida do Pietro. Ele atravessou a sala correndo, chegou até mim no quarto, eu o joguei o mais alto que podia e o empurrei para ele cair num montinho de travesseiros em cima da cama.

— De novo! — ele gritou.

— Ok, volta lá. — Ele correu e eu o joguei outra vez.

— De novo!

— O papai tá cansado.

— Não!

— Estou sim! — Ele fez uma cara de choro. — Última vez, tudo bem?

Ele correu de novo e caiu na cama. Eu também. Brincamos de luta livre, depois o fiz voar como um avião em cima das minhas pernas.

— Aonde você quer ir hoje?

— Ah... Ah... Pavão! — Um parquinho no bairro *Monti Tiburtini* de Roma tinha dois pavões na entrada. Nós o chamávamos de Parque do Pavão.

— A mamãe levou o carro, então temos que pegar o ônibus, o metrô e andar um pouco. Você topa? — Ele hesitou; percebi que minha pergunta tinha sido complexa demais. Então mudei a tática e falei com entusiasmo:

— Você quer ir no carrão grande grande e aí no trem longo longo?

— Sim!

O Pietro segurou minha mão enquanto caminhávamos até o ponto de ônibus. O dia estava lindo e o futuro parecia promissor; o chuveiro, o café e as brincadeiras haviam restaurado minha energia. *Sabe de uma coisa?*, orei. *Eu topo. Desculpa por aquele início rabugento, Senhor. Se o Senhor aceitar essa bagunça de emoções, conte comigo.* Alguns versículos da Bíblia me vieram à mente: "Venham a mim todos vocês que estão cansados e sobrecarregados", "Aproximemo-nos com toda confiança do trono da graça".[10] *Obrigado por me aceitar, meu Deus. O Senhor é o máximo. Mesmo assim, eu deveria ter feito a barba. Por que sou tão desleixado?*

Quando o ônibus chegou, sentei o Pietro perto da janela. Ele se segurou ao assento, com medo do tamanho do ônibus e dos estranhos ao redor. Uma mulher no carro debaixo de nossa janela acenou para ele.

— Olha só, a moça está cumprimentando você! Ela está no carro *pequeno* e a gente no carro *grande*.

Quando chegamos à escada rolante da estação do metrô, o Pietro estava mais confiante.

— Você vai ter que pular, ok? Um... Dois... Três... — Ele pulou, segurando minha mão. — *Bravo*! Que pulo!

— Bate qui — ele falou, quando chegamos ao fim.

— Bate aqui? Com certeza! — A primeira vez ele não encontrou minha mão, mas em seguida conseguimos um tímido trocar de palmas.

Pegamos o metrô, subimos de elevador e caminhamos até o Parque do Pavão. O Pietro segurou minha mão enquanto o sol brilhava sobre nós. Fechei os olhos e levantei o rosto. *O Senhor é a minha luz e o meu calor. A minha canção e a minha salvação.* O rosto esquentou e o peito ficou mais leve. *Brilha sobre nós. Caminha conosco.*

Abri os olhos, e algo havia mudado. Como descrever aquele momento? Foi uma libertação do coração; um momento em que não pensei sobre a oração, não dei por mim orando nem avaliei a qualidade de minha oração. Em vez disso, um pequeno milagre aconteceu: uma oração simples e sincera. Senti algo que não experimentava havia tempos: uma percepção elevada de que eu estava em um bom mundo e na companhia de um bom Deus. Um sentimento de benevolência me tomou. Em seguida, um desejo de projetar minha alma. A rua brilhava. As pessoas que cruzavam nosso caminho pareciam amadas e especiais.

Uma senhora cigana de roupas coloridas atravessou a rua, carregando um grande pedaço de madeira e uma jarra d'água em cima da carcaça de um carrinho de bebê velho. *Abençoa-a, Senhor. Ajude-a com seus problemas. Que ela chegue sã e salva aonde estiver indo.*

Olhei para o Pietro. Ele parecia tão amável e único. Senti gratidão, maravilhado por sua existência. Ele não parecia um dever, mas uma dádiva; não uma tarefa, mas meu filho. *Obrigado por esse menininho.*

Depois de alguns minutos, chegamos ao Parque do Pavão. O Pietro correu para os escorregadores e a casinha de crianças, onde cozinhou e me deu comida invisível. Brincava, me puxava pela mão e então disparava rumo ao próximo brinquedo.

Quando foi ao carrossel, me sentei num banco e olhei para o alto. O céu era enorme e a brisa uma carícia. Um sentimento de trégua chegou. Meu espírito agitado, minha tendência à distração, minha batalha comigo mesmo — tudo aquilo se acalmou. Estava tudo bem, no final das contas. Disse a Deus que sentia falta daquilo, e ele respondeu (naquela voz que você não sabe se é ele ou se é você mesmo, mas pouco importa) que ele sentia falta de mim também.

Eu sei. Foi mal. Pode deixar que vou estar mais por perto.

ALMOÇAMOS E DESCANSAMOS um pouco de tarde. Das possibilidades aparentemente infinitas da manhã, meu corpo desceu a uma baixa fisiológica. O Pietro acordou de sua soneca com marca de travesseiro no rosto, cabelo para cima e de mau humor, também. Perguntei-me se poderíamos recapturar a magia da manhã. É o desafio: não só alcançar, mas também manter a sensibilidade espiritual.

— Tive uma ideia — sugeri. — O que você acha de ir a uma igrejona?

Ele ficou quieto, ainda sonolento. *Quem cala consente*, pensei. Tínhamos seguido sua ideia de manhã, agora era minha vez de escolher.

Depois de uma jornada pela cidade, entramos na Basílica de São Pedro. O sol brilhava depois de uma garoa, projetando raios de luz através dos vitrais. O Pietro olhou para cima, de olhos arregalados.

— Não falei que era uma igrejona?

Viramos à direita, admiramos a *Pietà* de Michelangelo e caminhamos até um grupo de bancos onde as pessoas se sentavam ou oravam.

— Papai?

— *Shh!* Sem barulho! — sussurrei, antes de voltar a cabeça com olhar de súplica na direção de uma freira, como que pedindo desculpas por nossa interrupção.

O Pietro me olhou com um sorriso maroto. As crianças têm uma capacidade assombrosa de reconhecer os momentos em que os pais estão limitados pelas circunstâncias e elas podem ganhar poder. Foi o que ele fez: começou a fazer bagunça para me irritar. Pedi mais uma vez que ele ficasse quieto. Ele deu risada; eu cobri sua boca com minha mão. Quando as senhoras em oração começaram a limpar a garganta para dar um toque, a risada do Pietro se tornou histérica.

— Olha a pomba! — eu propus, apontando para a estátua em cima do altar que representa o Espírito Santo.

O Pietro deu um sorrisão e atravessou a basílica correndo. Fiquei envergonhado por deixar meu filho correr no santuário, mas correr atrás dele parecia ainda pior. E se um cardeal aparecesse? Preferi os apelos impotentes de um pai desamparado.

— Pietro! Pietro! Volta aqui!

Quando o alcancei, ele jogou a cabeça para trás e deu uma risada malévola. Eu me senti num merecido purgatório. É o que acontece quando um pastor protestante traz à basílica um filho diabinho.

— Pietro, olha para mim. Estou falando sério. — Agachei--me ao lado dele, que ofegava depois de correr. — Na nossa igreja, você pode correr, fazer barulho, e tudo bem. Aqui não pode. Está vendo aqueles homens? Estão montando as cercas. Daqui a pouco vai ter uma missa ali.

Por que fui mencionar as cercas? Elas se tornaram seu próximo alvo. Ele ultrapassou um guarda e correu na direção do altar central, como um meteorito infantil em câmera lenta. Céu e terra ficaram imóveis; os anjos seguraram o fôlego; papas medievais levantaram dos túmulos em choque, enquanto eu pensava: *Nããããããããooo!!!*

Um guarda me encarou feio e eu respondi com um olhar que dizia: *Deixa comigo!*, e alcancei o Pietro.

— Você está fazendo seu pai suar, não é mesmo?

Levei-o para trás de uma coluna num canto da basílica a fim de repreendê-lo. Mas quando vi seu rostinho suado e os dentinhos detrás de seu sorriso alegre, em vez de corrigi-lo dei risada.

— Nem o guarda alcançou você, hein?

— Não!

Brincamos de esconde-esconde sem fazer muito barulho atrás da coluna. Percebi que não havia feito nenhuma oração desde que havíamos chegado. No começo, isso me pareceu um problema. Mas, enfim, é assim que as coisas são. Oramos no parquinho e brincamos na igreja.

— Vou deixar você correr uma última vez, mas só se for até a saída, tudo bem?

Ele abriu um sorrisão e foi com tudo.

14
Sofrendo juntos

TRAZER UM FILHO ao mundo não complicou somente em termos práticos minhas orações. Suscitou questões de justiça também: por que nossos pedidos por uma criança foram respondidos, enquanto os de outras pessoas não? Foi o caso do Marco e da Federica, que desde a festa de futebol em nossa casa tornaram-se bons amigos. Em seu vídeo de casamento, alguém lhes perguntou quando queriam ter filhos. A câmera enquadrou o Marco, que respondeu: "*Subito*". Mas, depois de uma década de casamento, não havia berço nem choro de noite. Só espera, orações não respondidas e a agridoce sensação de acompanhar casais amigos engravidando.

Como é que a Federica consegue? Para mim, foi tarefa árdua esperar dezoito meses para concebermos o Pietro. Para uma mulher, porém, a gravidez é muito mais pessoal. Uma década é uma espera realmente longa. Ainda assim, a Federica se mostrava calma e emocionalmente capaz. Mentoreava os estudantes ao lado da Sarah sempre com um sorriso. E não via a falta de filhos como um peso, mas como um dom a ser compartilhado. Na igreja que fundamos, uma tarde ela organizou um evento para mulheres chamado "Maternidade: Concedida, Atrasada ou Negada". Não participei, mas soube que houve muitos choros, abraços e histórias compartilhadas. A falta de maternidade fez dela uma mãe para outras pessoas.

Percebi que muitas vezes prego as verdades que mais preciso ouvir. Foi o que ela fez também, num sermão sobre Sara, a mulher de Abraão, o patriarca reverenciado por judeus, cristãos e muçulmanos. Ao contar a história de um casal a quem Deus havia prometido descendentes mais numerosos que as estrelas, mas que chegou à velhice sem nenhum filho, era possível ler sua dor e sua mensagem a si mesma nas entrelinhas. Um sermão que homem nenhum poderia pregar, e agora era pregado por alguém que havia passado por aquilo e que *estava* passando por aquilo.

No relato bíblico do capítulo 18 de Gênesis, mais de vinte anos haviam se passado desde que Deus tinha prometido descendentes a Abraão. A promessa divina era agora uma lembrança frágil e discutível, refutada pela sucessão de meses e anos, pela idade do casal e pela infertilidade de Sara. Então, quando um mensageiro disse a Abraão que ele teria um filho em um ano, Sara riu incrédula. "Como poderia uma mulher da minha idade ter esse prazer, ainda mais quando meu senhor, meu marido, também é idoso?"[11]

Para a Federica, a risada de Sara era a explosão do ressentimento que havia se acumulado entre ela, seu marido e Deus. Um casal havia acreditado numa promessa, mas a promessa não havia se cumprido. A linhagem de Abraão tinha sido interrompida. A família empacou na infertilidade. E Sara sente "a impotência de gerar vida em seu ventre, em sua alma, no útero da terra. Ela ouve a canção da vida ser silenciada, pois sua privação é para ela a contradição de sua essência como filha de Eva, mãe dos vivos, aquela que gera a vida".

Sara não é um modelo de fé, mas de incredulidade, e é esse o ponto. Ela representa as mulheres e os homens que se desiludiram e que pararam de ouvir, esperar e viver. Quando ouviu o anúncio do nascimento de um filho em um ano, em vez de alegrar-se Sara se escondeu em sua tenda, porque "Sara está cansada. Sara está incrédula. Sara está desapontada", continuou a Federica. "Ela busca abrigo na tenda de sua dor, porque em nossa dor somos autocentrados, somos o 'Eu' absoluto contra o mundo externo, que nos parece distante e que, a nosso ver, não é capaz de nos entender."

Três capítulos depois, o livro de Gênesis conta que Deus cumpriu sua promessa. Sara deu à luz Isaque em sua velhice e organizou uma festa e tanto. "Deus me fez sorrir", diz ela naquele dia. "Todos que ficarem sabendo do que aconteceu vão rir comigo!"[12] Em vez de expressão de escárnio, sua risada se converteu em símbolo de alegria, personificada em um bebê que geraria uma descendência muito, muito grande.

Mas o final feliz não é o ponto da história. É o convite à Sara, e a todos os que compartilham sua desilusão e dor, para que se ergam e voltem a ter esperança. Nas palavras da Federica:

> Aquela que é estéril é desperta de seu torpor e ganha vida. Assim, ousamos dizer que este texto bíblico é um paradigma da ressurreição. Essa ressureição é o chamado à estéril para que se levante e caminhe. Deus chama os sem esperança a fazerem parte de uma comunidade que tem um futuro. Ele chama os apáticos a saírem de suas tendas.

Foi um sermão comovente. A Federica falou com a autoridade de uma mãe. Muitos, que não sabiam que ela e o Marco estavam tentando conceber, foram encorajados naquela manhã. Mas eu sabia um pouco mais, e pude ler a mensagem dela a si mesma nas entrelinhas de seu sermão. Ela estava confessando. Estava expondo a alma. Estava ousando crer. Se pudesse parafrasear o que ela disse a si mesma, seria algo assim: Não permaneça derrotada. Saia da tenda. Caminhe. Respire. Dê vida e esperança a outros enquanto você espera. Talvez leve tempo. Talvez nunca aconteça. Talvez pareça que nunca vai acontecer mesmo que um dia aconteça. Quem sabe? Um dia você poderá rir das brincadeiras do dia e dos choros da noite. Deus poderá surpreender você. E também poderá nunca lhe dar um bebê. Mesmo assim, seja uma matriarca. Ensine. Exorte. Chame as pessoas à fé e à esperança e à vida. Eles vão ser seus filhos, mais numerosos do que as estrelas do céu.

ALGUMAS SEMANAS DEPOIS, o Marco e a Federica vieram jantar conosco. Servimos *trofie al pesto* e verduras; eles pareciam bem, de sorriso leve. Por fim, abordamos o tema da infertilidade, e a Federica perguntou se eu podia orar por ela. Seus olhos demonstraram um momento de fraqueza, por trás de sua força. Meu primeiro pensamento foi muitíssimo maduro: e se ela ficar grávida depois de todos esses anos por causa da *minha* oração? Pedi perdão a Deus por minha reação tola, então demos as mãos e orei do modo mais sincero e esperançoso que podia. Dissemos amém e boa noite. Enquanto saíam, pensei: *Será que vai acontecer desta vez? O Senhor vai responder à nossa oração?*

Depois de um tempo, soubemos da resposta: o teste deu negativo.

BEM NAQUELA ÉPOCA, a Cinthia, irmã mais nova da Sarah, nos ligou e disse: Estou grávida. Ela e o Rodolpho haviam acabado de decidir que poderiam, quem sabe, talvez, começar a pensar a ter um filho. Aí, pronto, aconteceu, no primeiro mês sem contracepção. Uma gravidez tão fácil e instantânea que até fez a Cinthia se sentir culpada, diante de suas amigas que vinham tentando engravidar havia tempos. Quando quiseram um segundo filho e ela engravidou no primeiro mês que tentaram *de novo*, a reputação do Rodolpho na família cresceu, pelo menos entre os homens. Pedimos que ele compartilhasse o segredo de sua abundante testosterona com meros mortais como nós.

A notícia me abalou um pouco: o contraste entre amigos tentando engravidar com todas as forças e parentes para os quais aconteceu tão facilmente; entre orações que encontram o silêncio e orações respondidas antes mesmo de ser pronunciadas; entre aquela minha entrada desajeitada no ônibus com o Pietro nos braços e o senhor cujo maior desejo na vida havia sido ter filhos.

Em nossas famílias, a Sarah e eu fomos os primeiros a ter um filho. Todos se alegraram por se tornar tios e tias, incluindo a Chantel, a irmã mais velha da Sarah. Mas conforme ela e o marido, Bo, tentaram conceber, meses se tornavam anos. As amigas anunciavam gravidezes com regularidade surpreendente. Ela organizava chás de bebê para outras pessoas. E, um dia, o contraste pesou. A Chantel tem uma risada contagiosa e é cheia de vida, mas me contou que começou a se distanciar das boas notícias dos outros (tive permissão para contar sua história, assim como a da Federica).

Quando o Roberto e a Vânia visitaram a Chantel no final de 2010, ela achou que estava grávida e que comemoraria o Ano Novo compartilhando a notícia com os pais. Em 31 de dezembro, ela descobriu que não estava. E a Sarah e eu ligamos, dizendo que estávamos esperando um segundo filho. A Chantel entrou debaixo do chuveiro, se agachou no chão e chorou. Por que estou tão triste enquanto minha irmã está feliz?, pensou. Quando um médico lhe disse que, por causa de uma série de complicações, sua chance de conceber estava entre 0% e 1%, o desejo de aumentar a família parecia fora de alcance.

Seu primeiro instinto foi se afastar dos outros, não querendo ser um peso para eles. Mas quando tomou a coragem de dizer que não estava bem, os amigos a acolheram. A igreja orou por ela. Participou de um grupo de apoio que estudava as numerosas histórias de infertilidade da Bíblia. E a dor compartilhada se converteu em alegria compartilhada, quando finalmente conseguiu conceber, depois de passar por cirurgias para remover uma trompa de falópio e uma endometriose. Seu filho era mais que uma alegria individual. Era uma vitória coletiva.

A Chantel comprou um carrinho para dois bebês e outros itens duplos, querendo ter um segundo filho logo em seguida. O que ela descobriu quando seu filho tinha vinte meses, porém, foi um caroço e uma nova e árdua batalha. Havia tumores malignos em ambos os seios.

A quimioterapia fez a Chantel perder cabelo, energia e o futuro com que sonhava. Ela não poderia engravidar novamente nos próximos seis anos. "Minha irmã e eu temos só dois anos de diferença e somos muito próximas. Sempre quis ter filhos com pouca distância um do outro por causa disso", ela compartilhou em um vídeo num canal que começou no YouTube sobre sua luta contra o câncer.[13] "Hoje esse sonho foi destruído."

Ela cogitou a adoção, mas teve receio de que as agências não permitiriam a uma mãe com câncer adotar uma criança. Então, depositou as esperanças numa segunda alternativa: a maternidade substituta — também chamada de barriga de aluguel — que é legal e comum onde ela mora, no Texas. Àquela altura, a Sarah e eu já tínhamos dois filhos e muita responsabilidade no trabalho, mas a ideia tocou a Sarah profundamente: ela queria dar esse presente à Chantel. Seria a mãe gestante para a irmã. Elas se falaram; a Chantel chorou; o vínculo entre elas se fortaleceu ainda mais, agora que continha sofrimento compartilhado e a possibilidade de uma nova vida.

Descobrimos que a maternidade substituta é ilegal na Itália. Desnorteada, a Sarah ligou para a Chantel. Era o ano em que a quimioterapia provocou os efeitos colaterais mais fortes. Ela estava exausta, doente, não tinha mais cabelo e tinha feridas dentro da boca. A notícia desanimou a Chantel ainda mais. Foi isto que ela compartilhou no Instagram no Dia das Mães de 2015:

> A verdade sobre meu Dia das Mães é a seguinte: estou me sentindo distante do meu filho. Desde meu diagnóstico, por causa dos tratamentos, consultas e fraquezas o Knox ficou mais longe de mim e mais apegado ao papai, à avó, e até às minhas amigas que cuidam dele. Sou extremamente grata pelas pessoas que me ajudam amando meu filho, mas eu gostaria de ser a pessoa que passa muitas horas e dias com ele. Esta manhã, quando os rapazes estavam na igreja e eu fiquei em casa para descansar, não pude deixar de chorar debaixo do chuveiro. Até tomar banho ficou difícil por causa da fadiga...
>
> Penso nas tantas mães por aí que se sentem inadequadas e acabam em lágrimas, porque ser mãe é muito difícil. Eu me lembro bem da dor profunda de quando queria ser mãe e via outras famílias crescerem ao meu redor. Penso nas pessoas que perderam sua mãe querida ou têm relacionamentos difíceis com a mãe.

A vida pode ser muito difícil. Tem reviravoltas inesperadas. MAS, o amor é MAIOR. Deus é mais forte e poderoso que qualquer coisa que possamos enfrentar. E de algum modo ele vem até nós, pessoas estragadas e pecadoras, e nos ama, nos sustenta e nos carrega até o final.

Então aí vai um brinde para nós, mulheres imperfeitas, lindas e malucas. Um brinde a nós, que temos tanto para crescer e que estamos longe de ser perfeitas. Um brinde a nós, que deparamos com lindas postagens de Dia das Mães e nos sentimos longe do ideal impecável. Um brinde a nós e louvores a Deus, que nos dá sempre sua graça. Feliz Dia das Mães!

Não podendo contemplar a maternidade substituta, a Chantel se focou em se recuperar. A quimioterapia encolheu seus tumores. Cirurgias removeram o câncer e reconstruíram seu corpo. Foi uma alegria ver seu cabelo crescer e ouvir de novo sua risada contagiosa.

Ela se lançou com novas energias no trabalho, nas amizades, e voltou a ter uma vida normal. E o sonho de expandir a família voltou. Desta vez, ela e o Bo decidiram adotar. O histórico de câncer não foi um obstáculo, felizmente, mas o processo de adoção teve suas idas e vindas. Trocaram correspondências com uma mãe biológica por sete meses, mas uma semana antes do nascimento a mãe decidiu ficar com o bebê. Houve acertos com duas outras mães, que também decidiram ficar com os filhos. Cada vez, a Chantel me falou, parecia um aborto. Os bebês não morreram, mas a Chantel perdeu a criança que esperava ter.

Quase quatro anos depois do diagnóstico de câncer, ela recebeu uma ligação de Seattle. Uma menina de 15 anos estava para dar à luz. E desta vez deu certo: voaram para lá, acompanharam o parto e adotaram uma menininha, a Ivy Joy.

Tivemos um encontro de família dois meses depois. A Chantel já tinha cabelo comprido, o Bo e eu nos saudamos e houve um abraço coletivo. Mas minha parte favorita foi ser tio. Peguei minha nova sobrinha adotiva nos braços, a primeira pessoa preta de nossa família e uma fofura de alegria, como diz seu nome.

A VIDA É COMPLICADA, mesmo quando as coisas dão certo. A maternidade, como tantas outras coisas, pode ser concedida, negada ou atrasada. Mas mesmo nas situações mais difíceis, recebemos uma dádiva inesperada: o sofrimento nos une. Choramos juntos. Esperamos juntos. Celebramos juntos. Minha jornada como pai não inclui somente meus filhos. Acolhe também a dor e a alegria de ver parentes e amigos desejar gerar novas vidas.

O Marco e a Federica passaram por voltas e reviravoltas, decidindo toda vez esperar e não desesperar. Nunca puderam conceber um filho. Então, catorze anos depois de seu casamento, adotaram duas irmãzinhas. Não pude segurar a Vanessa ou a Valeria em sua festinha de aniversário, pois corriam, brincavam e eram paparicadas por seus novos avós e parentes. Mas, ao participar da vitória compartilhada deles, pensei no quanto pode ser difícil formar uma família. Quanto coração exige. Quão bonito é. E nas múltiplas formas de paternidade, à medida que temos filhos, adotamos ou exploramos outra linda possibilidade: tornar-nos pais ou mães espirituais para aqueles à nossa volta.

Foi o que descobri quando meu sonho adiado se tornou realidade e minha família deu à luz outra grande família.

15
Paternidade espiritual

Pode soar estranho, vindo de um homem, mas por anos também sonhei em dar à luz. Havia *algo* dentro de mim, que estava vivo e adquiria forma e queria ser lançado no mundo. Desde que recebi uma infusão de fé em Deus, de comunidade e de horizontes mais vastos em um momento-chave da minha vida, comecei a me interessar pelas pessoas que não receberam o que eu recebi e notei um outro tipo de gestação dentro de mim.

Com os anos, busquei desenvolver minha vocação por meio de estudos, oração e serviço. Descobri que a escola da vida de Deus tem matérias menos óbvias também. A primeira é a Espera, já que vi meu sonho ficar em cima do armário enquanto estudava, me casava, tentava conceber, tinha um filho e me mudava para outro país. Aí veio o Sofrimento. Eu o odeio, tento evitá-lo, reclamo com o Diretor a respeito, mas aprendi com o tempo a enxergar seu valor, e até a agradecer a Deus por noites sem sono e tardes de desespero. Finalmente, quando preparava o início de minha congregação em Roma, descobri uma nova matéria — Praticidades — e que ter um filho complicava meu trabalho.

Equilibrar trabalho e família nunca é fácil, mas algumas profissões ajudam um pouco. Funcionários em um escritório trabalham em horário comercial e têm a noite e o fim de semana livres para a família; ou seja, dispõem de limites claros que separam a casa do ambiente de trabalho e o expediente do tempo em família. Um cônjuge ou filho pode visitar o escritório de vez em quando, mas essas esferas raramente se encontram.

No meu caso, família e trabalho geralmente se sobrepõem. Não é fácil compartilhar o ambiente de trabalho com brinquedos e desenhos durante o dia ou organizar eventos e receber pessoas à noite e aos fins de semana, quando os outros não trabalham. Músicos, artistas e comediantes vão responder: E você acha que é fácil para a gente? E eu respondo: Claro que não, mas se sua família não se comportar, os diáconos não reclamam. (Uma vida bagunçada pode até ser um *plus* para um artista.) Os crentes, porém, têm certas expectativas. Se uma família me convida para jantar, na verdade estão *nos* convidando para jantar, na expectativa de que a Sarah e o Pietro venham também. Na prática, isso significa que o aconselhamento pastoral acontece enquanto damos de comida a uma criança, os momentos de oração são enriquecidos pelo aroma de fraldas premiadas, e, na mente das pessoas, a Sarah se torna uma "mulher de pastor" — um ideal santo de maternidade e feminilidade — além de seu emprego "de verdade". Em outras palavras, padrões altos para mim e para as pessoas que me acompanham. *Todo mundo se comporte!* é meu pensamento constante. Muitas vezes, porém, percebo: nem todo mundo está se comportando.

Teve o caso desastroso de meu primeiro sermão em italiano, por exemplo, que preguei na igreja de um amigo três meses depois de nossa chegada a Roma. Nutria sentimentos tão românticos a respeito — "meu primeiro sermão na língua em que vou anunciar o evangelho!" —, de modo que decidi abordar uma passagem difícil e preparar uma obra-prima de homilética. Depois percebi que tinha sido longo e confuso, um sermão-fiasco.

Cheguei à igreja com grandes expectativas. Duraram trinta segundos. A mulher do pastor nos disse que um casal da Inglaterra estava visitando a igreja e pediu que a Sarah traduzisse o culto para eles, enquanto ela cuidava do Pietro.

Isso não vai dar certo, pensei.

E não deu mesmo. A Sarah e eu, *juntos*, não damos conta do Pietro. Coitada da mulher do pastor. Ele se contorcia quando ela tentava segurá-lo. Quando comecei a falar, ele gritava em resposta, pensando, aparentemente, que se o pai estava falando era hora de falar. O cálculo daquele domingo foi:

A bagunça do Pietro
+ a mulher do pastor tentando domá-lo
+ o burburinho da Sarah traduzindo no meio da igreja
+ a genialidade do meu raciocínio
= um culto desastroso.

No meio do sermão, nem *eu* conseguia me concentrar. Vi duas alternativas ingratas na minha frente: prosseguir, mesmo que ninguém estivesse acompanhando o que eu estava dizendo, ou tentar minimizar o dano. *Precisamos de uma solução dramática*, pensei, então me interrompi, pedi que a Sarah parasse de traduzir e levasse o Pietro para fora. Que vergonha. Depois de minha intervenção, a matemática daquele domingo se tornou:

A Sarah me olhando feio
+ a birra do Pietro sendo levado para fora da igreja
+ a mulher do pastor sentando-se derrotada na primeira fila
+ os crentes desgostosos com minha família destruindo seu culto
= um ponto baixo na história do cristianismo.

Acha que não pode piorar? Claro que pode, e piorou, em um culto de Natal que celebrei depois. Naquela época, estávamos tentando ensinar o Pietro a usar o penico. Mas estávamos tão ávidos por nos livrar das fraldas que começamos a transição cedo demais. Meia hora antes do culto, notei que o Pietro precisava ser trocado. Levei-o ao banheiro. Tinha cocô. Muito cocô. Tanto cocô que joguei sua cueca e sua calça no lixo; não tinham mais salvação. Tanto cocô que entupi a privada com a quantidade de papel higiênico que usei para limpá-lo. E uma parte do cocô encostou na minha camisa branca, deixando uma mancha marrom.

O pior foi que, depois de cheirar e encostar em tanto cocô, senti uma vontade urgente de ir ao banheiro também. Tinha entupido a privada dos homens, então me perguntei se poderia adiar o ato de alívio. Meu intestino respondeu: *Tem que ser agora!* Entrei no banheiro das mulheres. A porta não trancava naquele dia. *Ai ai,* pensei, torcendo, orando, para que nenhuma mulher desejasse usar o banheiro naquele momento. Você acha que o Céu me salvaria dessa? A porta abriu. A mulher do líder de louvor — a criatura mais meiga e delicada do mundo — me viu sentado no trono, gritou de horror e bateu a porta. Naquele Natal, preguei olhando só para um lado da igreja — o lado em que ela não estava — enquanto torcia para que as pessoas não adivinhassem porque minha camisa branquíssima tinha uma mancha marronzíssima.

Havia chegado à Itália cheio de ideais, ansiando dar à luz à igreja dos meus sonhos. Depois de gafes, furadas e de destruir o culto dos outros, não estava mais assim tão confiante. As pessoas viriam a uma igreja liderada pela Sarah, pelo Pietro e por mim?

Tentei me preparar da melhor maneira possível. Aproximando-se a data de nosso primeiro culto, a Sarah sugeriu que eu comprasse algumas camisas novas, e um *blazer*. Tinha feito 28 anos, mas ainda parecia jovem demais para ser um pastor. Minha lista de compras também incluía pratos de comunhão, um púlpito para apoiar minha Bíblia e um ofertório. Encontrar os pratos de comunhão para o pão e o vinho foi fácil; uma livraria cristã os vendia. O púlpito, porém, precisou ser improvisado. Comprei uma estante para partitura em uma loja de música na *Via Cavour* que vendia instrumentos e caixas de som. Quando cheguei, músicos tatuados experimentavam guitarras, grupos de amigos conversavam sobre bandas e um pai dava uma olhada nas baterias junto com seu filho. O ar tinha cheiro de homens, de burburinho, de humanidade. Saindo dali, não pude resistir: pendurei na porta dois folhetos que anunciavam a inauguração de nossa igreja, ao lado dos cartazes que divulgavam concertos. Adoraria que aquelas pessoas viessem à igreja no domingo.

Prossegui então para a parte final de minha busca de equipamentos para a igreja: a sacola de ofertas. Havia obtido algumas doações para cobrir os cultos iniciais, mas, mais cedo ou mais tarde, teríamos de pagar nossas próprias contas. A primeira loja que visitei, na frente da Basílica de São João, vendia crucifixos, tecidos de linho para altares e vários tipos de vestimentas sacerdotais. Perguntei ao atendente se havia uma sacola de ofertas. Ele me trouxe um ofertório com cabo de ouro, cobertura de ouro e um cadeado ao lado, que também era de ouro. Tão pesado que quase o deixei cair. Parecia o ofertório de uma igreja que não precisava de ofertas, então disse que estava procurando algo mais simples, sabe como é, que não fosse de ouro. O atendente disse que era o único modelo que tinha, mas que eu podia tentar numa outra loja na frente da Basílica de Santa Maria Maior.

Dirigi para essa outra loja, com o céu já escuro na sexta à noite. Pintada em cores pastéis, a loja exibia panfletos que apresentavam o trabalho de orfanatos na África. A freira que me recebeu tinha um sorriso tão angelical que parecia ter passado a tarde em oração contemplativa. Ela me levou a outra sala, passando por outras freiras com sorrisos gentis, e me mostrou sua sacola de ofertas. Era bem mais simples que a primeira — um cabo de cor prata segurava uma sacola de couro preta — mas ainda era meio vistosa demais para meu gosto. Mas, porque era minha única opção antes do domingo, a comprei.

— De jeito nenhum — a Sarah falou, quando mostrei a sacola em casa. — Chique demais.

Expliquei que a primeira sacola era de ouro e tinha cadeado e tudo, mas para falar a verdade eu também não estava convencido. Precisávamos pensar fora da caixa, então no sábado passei na igreja onde o pregador tinha falado que o *rock* é do diabo e pedi emprestada uma sacola deles. Era usada, velha e tinha um cabo de madeira quase quebrado. Exatamente do que precisávamos.

A rápida sucessão desses mundos me pôs a pensar. Senti que faltava uma ponte entre os músicos tatuados, o ofertório de ouro, as freiras angelicais e o pregador que não gostava de *rock*. Um pouco de esforço para refrescar as coisas e engajar as pessoas hoje. Perguntei-me se alguém da loja de música viria conferir a igreja que iríamos inaugurar no domingo.

Estava empolgado, e nervoso, então recrutei toda a ajuda que podia. Um grupo de amigos, alguns dos quais vieram assistir àquele primeiro jogo de futebol em casa, abraçou minha visão de começar uma igreja para uma nova geração e formou um time de apoio. Sem dispor de templo próprio, alugamos um pequeno cinema com cadeiras dobráveis que acolhia projeções de filmes, cursos e exibições de arte. Paolo, o gerente, ficou feliz de nos receber no domingo. Assim, convidamos todas as pessoas que conhecíamos e celebraríamos um primeiro culto.

Chegamos cedinho no domingo para montar as cadeiras, os instrumentos e o aperitivo para a recepção após o culto. Pensei se poderia dar uma última olhada em meu sermão, mas logo as pessoas começaram a chegar e a Sarah e eu demos nosso melhor para recebê-las. Uma fila de cadeiras se encheu, depois a outra. A Sarah contou cinquenta pessoas, mais do que esperávamos.

Dois minutos antes do culto, o Paolo me procurou com cara de preocupado.

— René, temos um problema.

Meu coração disparou. *Ah, não! Estamos indo tão bem. O que pode dar errado?*

— Estamos para começar e o sacerdote ainda não chegou!

— O sacerdote? — perguntei. — Que sacerdote?

— O sacerdote, sabe, para celebrar a cerimônia.

Pensava que o Paolo tivesse entendido que esse jovem simpático que falava com ele havia meses sobre usar seu espaço para encontros de uma igreja seria o sacerdote.

— Paolo, sou eu! *Eu* sou o sacerdote.

— Ah, perdão! — ele enrubesceu. — Não tinha entendido...

E quem poderia culpá-lo? Eu tampouco depositaria muita confiança em mim.

Todos nos sentamos, o burburinho se tornou silêncio e os músicos começaram a tocar. A partir daí, foi o céu na terra. Um sentimento de empolgação e gratidão pairava no ar. Para meu sermão, eu havia cogitado abordar um tema filosófico difícil, mas aí pensei: *Que nada, vamos nos divertir*. "A pegadinha que mudou o mundo", foi como intitulei o sermão, falando sobre a ressurreição de Lázaro como um aceno à morte e ressurreição de Jesus. Em seguida, compartilhei o pão e o vinho, um amigo fez os anúncios e o pessoal ficou por mais de uma hora ali, conhecendo uns aos outros e curtindo os petiscos.

Olhei ao redor, enquanto as pessoas se entrosavam e conversavam. Ali estava meu sonho se tornando realidade e adquirindo rostos e nomes. Ali estava a Giada, que tinha ouvido falar da nova igreja no Facebook e disse que na próxima vez traria o namorado (o casamento deles foi o primeiro que celebrei). Ali estava a Alessandra, que tinha escrito à Sarah naquela semana pedindo sugestões de igrejas, e a Sarah respondeu que, bem, estávamos começando uma no domingo (a Alessandra foi a primeira pessoa que batizei). O Pietro mostrava seus carrinhos, feliz de receber atenção de pessoas que logo se tornariam como tios e tias para ele.

Enquanto apreciava o que estava acontecendo, percebi que algumas cenas embaraçosas aconteciam também, é claro, mas eu estava feliz de ver meu trabalho e minha casa convergindo. Minha família estava dando à luz a — e sendo adotada por — uma família maior. Tornar-me pai não tinha impedido minha vocação, como eu tanto temia. Na providência de Deus, era exatamente do que um pastor jovem e apressado precisava para passar alguns apuros, aprender lições difíceis e se transformar em um pai — no sentido biológico e espiritual. Podia contribuir *e* empurrar o carrinho do bebê, fazer meu trabalho *e* cuidar de minha família.

Com os anos, essa comunidade foi mesmo como uma família, em muitos aspectos. Notei casais trocando olhares pela primeira vez e pronunciei minha frase preferida, "Pode beijar a noiva", em seus casamentos. Para o Pietro e o Matteo, a igreja era o lugar onde se sentiam como sobrinhos e netos de um montão de gente. Uma senhora chamada Franca lhes trazia chocolate; a filha dela, a Mila, se tornou pastora assistente de nossa igreja e trabalhou ao meu lado como uma irmã recém-descoberta. Quando o Matteo nasceu, a Federica pronunciou uma bênção sobre sua vida. (Em vez de batizar crianças, em nossa tradição os pais dedicam os filhos a Deus e o batismo é uma decisão que cada um pode tomar quando adulto.) Aquele momento aconteceu vários anos antes que o Marco e a Federica adotassem suas filhas. A bênção de uma amiga que ainda não tinha se tornado mãe, mas que mesmo assim desejava o melhor para nós, foi um tanto quanto significativa.

Para mim, também, a igreja proporcionou muita coisa. Foi o lugar onde preguei sermões bastante aquém do ideal, mas também onde encontrei minha voz. Várias vezes senti que era meu eu mais verdadeiro aos domingos, ao testemunhar pessoas sendo ajudadas por aquilo que eu tinha para dizer. Por vezes o movimento era quase imperceptível, como quando um adolescente que sentava nos fundos de braços cruzados se inclinava um pouco mais para perto. Outras vezes, as pessoas deixaram circunstâncias difíceis, abraçaram mudanças profundas e contaram suas histórias antes de serem batizadas no lago. Era o momento preferido de minha vocação, ver alguém dar um passo de fé por sua própria vontade. A beleza exterior daquele ato — o lago iluminado pelo sol, a pessoa emergindo da água, o piquenique comunitário em seguida — refletia algo da mudança interior que tinha acontecido, embora nenhum termo ou imagem, nem mesmo nossas melhores palavras — fé, amor, esperança — possam de fato capturar o renascer de uma alma.

Com o tempo, esses amigos cresceram e se transformaram em algo que no começo eu não sabia descrever, mas então percebi: eles estavam se tornando pais e mães espirituais. Muitas vezes tive a sensação de viver entre gigantes, que na aparência eram como todos os outros, mas que, internamente, haviam alcançado uma estatura admirável. Amavam, serviam e geravam vida. Nossa igreja, como qualquer outra, tem pessoas que nunca se casaram e casais que não puderam conceber. Perceber que ter filhos biológicos era só um modo de ser pai e mãe e que, independentemente do *status* familiar, todos podíamos ajudar uns aos outros a crescer, foi uma descoberta preciosa. Deu às famílias uma postura voltada para o próximo e mostrou a fecundidade impressionante de algumas pessoas que nunca haviam se casado ou tido filhos. As mãos estavam cheias, e os olhos brilhavam.

Um momento final se sobressai quando penso em minha igreja e em minha família, um casamento que celebrei na beira desse mesmo lago, o *Lago di Bracciano*. A noiva chegou numa canoa, enquanto o noivo tocava a música de sua entrada no violino. Havia convidados de vários países, de modo que oficiei o casamento em italiano ao lado da Sarah, que me traduzia para o inglês. A Monica desceu da canoa e caminhou até o noivo, e nós atrás dele.

— Foi assim que vi você entrar em nosso casamento — sussurrei para a Sarah, cheio de romantismo.

Ela tinha preocupações mais prosaicas em mente.

— Tomara que as crianças fiquem quietinhas.

O Pietro e o Matteo estavam com 5 e 3 anos na época. Nessa idade, um casamento dura uma eternidade, especialmente se os pais não estão do seu lado, e sim lá na frente, falando. Tentamos comprar o silêncio deles com biscoitos, prometemos brinquedos e quase funcionou. Ficaram quietinhos durante as canções, as leituras e o sermão. Mas quando a noiva e o noivo fizeram seus votos, o Matteo ficou inquieto e começou a caminhar até o altar. Tentamos apressar o final, mas quando eu disse "Eu os declaro marido e mulher", o Matteo já estava do nosso lado, chorando, "*Mamma, mamma*". Peguei-o no braço e falei: "Pode beijar a noiva". O casal se beijou, todo mundo aplaudiu e o Matteo nos abraçou.

Aquele momento — o romance de um casamento à beira de um lago, a bagunça de uma família da vida real, uma dando luz à outra — cristaliza o encontro entre minha vocação e minha casa. Percebi que a bagunça era parte do que eu tinha para oferecer. Por mais que desejasse celebrar casamentos impecáveis, o fato de que a Sarah, o Pietro e logo o Matteo contribuíam com minha vocação a tornava ainda mais especial.

Falando do Matteo, chegou a hora de contar sua história. Ele nasceu dezessete meses depois do Pietro e se tornou a nova alegria de nossa vida. Sim, deixei o melhor para o final.

16
Susto final

FOI NO ÚLTIMO DIA de 2010 que descobrimos que o Matteo estava a caminho. Estávamos em Florença, numa viagem de fim de ano pela Itália central com meus pais, irmão e irmã. O Pietro gritava de alegria quando presente após presente surgia das malas deles, uma dose concentrada de afeto que havia sido acumulada durante o ano e, então, magicamente compartilhada no Natal.

Viajar com eles nos deu perspectiva para entender as transições pelas quais havíamos passado. O nascimento do Pietro tinha nos esgotado, mas alguns dias fora nos ajudou a perceber que, olha só, estávamos sobrevivendo. Havíamos crescido como família, gerido uma mudança de país e começado uma nova fase de trabalho. Terminar aquele ano memorável com a família que me formou e a família que comecei trouxe um clima de resolução, como um encontro de várias fases de vida e um ponto de convergência entre o passado e o presente.

E o futuro, logo descobrimos. A Sarah sentiu um forte enjoo na manhã de 31 de dezembro e vomitou. Quando estávamos visitando a *Piazza del Duomo*, em Florença, na hora do almoço, ela correu para atrás de uma ambulância estacionada no canto da praça e vomitou mais uma vez. Pensando que ela havia pegado um vírus, meus pais se ofereceram para cuidar do Pietro de tarde. A Sarah e eu nos entreolhamos, encantados com a ideia de algumas horas só para nós. Caminhamos despercebidos pela multidão e admiramos o pôr do sol sobre o rio Arno enquanto um violinista tocava no *Ponte Vecchio*. Nós nos sentíamos felizes, como quando admiramos Florença pela primeira vez a caminho de Roma em nosso primeiro dia na Itália.

Quando começou a escurecer, entramos num café, pedimos uma torta de morango e nos sentamos para nosso ritual de Ano Novo: refletir sobre o ano que estava terminando e sonhar com o ano por vir. Comecei a registrar algumas memórias enquanto a Sarah foi ao banheiro; ela havia passado numa farmácia perto do café e disse que queria conferir uma coisa. Em poucos minutos, enchi uma página de memórias; nunca um ano havia nos proporcionado tantos acontecimentos. Não sabia, porém, o que escrever sobre o ano seguinte. Parecia meio vago, mas tomou forma em um instante.

— Olha só — a Sarah falou, voltando do banheiro.

Ela me mostrou um teste de gravidez. Duas marcas, em vez de uma.

— Você está grávida?

Ela acenou que sim com a cabeça, enxugando as lágrimas.

Minha mente voou. Fiquei surpreso, como quando descobrimos que o Pietro estava a caminho. Pensei: *Eu? Um pai?*, seguido pelo espanto de saber que me tornaria pai, mesmo já sendo um. Imaginei um recém-nascido, as coisas que teríamos de comprar e toda uma nova fase de vida.

A Sarah quis logo compartilhar a notícia com as primeiras pessoas que viu, um casalzinho adolescente sentado na mesa ao lado.

— Oi, estou grávida!

— Parabéns… — o rapaz respondeu, tentando reagir positivamente à frase mais assustadora que um adolescente como ele poderia ouvir.

— E é o nosso segundo filho — acrescentei, para deixá-lo ainda mais espantado.

Descobrimos que seria um menino no segundo ultrassom. Uma torcida bem grande de parentes e amigos esperava uma menina, mas adoramos a ideia de ter dois meninos. Podia imaginar os irmãos crescendo juntos, jogos de futebol e amizade.

Vai ser três contra um, eu disse à Sarah. Pode deixar que as meninas vão dar conta, ela respondeu.

PODERIA ENCHER outro livro inteiro com memórias do Matteo. É um menino divertido e afetuoso que nos trouxe muitos momentos e risadas juntos. Foi o vencedor da primeira edição das Olimpíadas Breuel — uma maratona de jogos de tabuleiro, esconde-esconde, basquete e pingue-pongue — e ganha de mim sempre que jogamos xadrez.

Mas concluo esta narrativa com a história de sua primeira grande vitória: seu nascimento. Aconteceu em 31 de agosto de 2011, um dia bem quente e úmido. A Vânia chegou no dia anterior para nos ajudar nas primeiras semanas de vida do Matteo, e chegou na hora certa, muito embora ainda nem fizéssemos ideia disso. Naquele dia demos um toque final ao quarto dos meninos e levamos a Vânia ao Hard Rock Café na *Via Veneto*.

Durante o almoço, algo estranho aconteceu: recebemos prenúncios. Foi o tipo de coisa que muita gente vê com ceticismo, todo aquele campo de intuições e sugestões divinas na fronteira da consciência humana que pode trazer *insights*, mas também se tornar discutível e bizarro. Eu também tendo a ser cético a respeito. Mas recebemos não uma, nem duas, mas três mensagens de pessoas que conhecemos e em quem confiamos, que moravam em três continentes diferentes e que sentiram *algo* sobre o que estava para acontecer. O primeiro alerta veio da avó da Sarah, a pessoa de mais fé que conhecíamos. Fez uma ligação cara de seu telefone fixo — a primeira e única vez — para nos contar que havia sentido em oração que o bebê viria antes do esperado e que ficaríamos preocupados, mas que tudo daria certo. O segundo aviso veio da Anne, a mentora da Sarah que mora em Washington, DC. Escreveu em um *e-mail* naquele dia: "Sarah, estou muito ansiosa, agora que você está para dar ou já deu à luz", acrescentando que estava orando e meditando sobre o Salmo 142, um grito desesperado a Deus. "Quando estou abatido, somente tu sabes o caminho que devo seguir", citou no final. E o terceiro contato veio da Federica, que mandou uma mensagem de texto durante o almoço: "Sarah, está tudo bem? Estou orando por você neste exato momento".

Reclinei na cadeira, não sabendo o que pensar. Foi uma experiência surreal, receber premonições enquanto comia *nachos* com *guacamole* ao lado de tevês que tocavam "Eye of the Tiger" e outros videoclipes musicais dos anos 1980. O que essas mensagens significavam? Deus queria nos dizer alguma coisa? A Sarah as levou imediatamente ao coração, enquanto eu as mantive numa área preliminar para coisas que são difíceis de categorizar, com a etiqueta "Aguarde Maiores Confirmações". Minha incerteza fez com que eu me sentisse excessivamente meticuloso, como se me faltasse fé, como se fosse tudo um sonho, como se fosse mais fácil pensar em *nachos,* como se eu não fizesse a menor ideia de nada.

Depois do almoço, passamos um tempinho numa livraria naquela avenida. A Sarah encontrou uma poltrona debaixo do ar-condicionado, a Vânia leu histórias para o Pietro e eu folheei alguns livros.

— Uma contração! — a Sarah gritou.

Coloquei um livro de volta à prateleira.

— Tem certeza?

— Claro que tenho certeza! Você acha que não sei reconhecer uma contração?

— O que posso fazer para ajudar?

— Você pode dar à luz por mim!

— Ah... — hesitei, pensando: *Lá vai o marido babaca de novo.* — Quer ir ao hospital?

— Ainda não. Acho que ele vai nascer hoje à noite.

Se eu pudesse voltar no tempo e mudar a história só uma vez na vida, voltaria àquele dia e correria ao hospital naquela mesma hora. Mas as coisas não pareciam urgentes então; o Pietro nasceu dezoito horas depois das primeiras contrações, dias depois da data esperada de nascimento. Tínhamos mais ou menos esse prognóstico em mente. Além disso, queríamos preparar a Vânia para cuidar do Pietro quando saíssemos para o parto do Matteo.

Em vez de ir ao hospital, voltamos para casa. O plano era monitorar as contrações da Sarah, dar de jantar para o Pietro, colocá-lo para dormir e ir para a maternidade de noite. A Sarah tomou um banho com ele para ter um último momento de conexão, enquanto eu fiz o jantar e preparei as sacolas com roupas de recém-nascido e fraldas.

No meio do jantar do Pietro, a Sarah gritou do quarto.

— Mais contrações!

— O Pietro está quase acabando — respondi da cozinha. — Já, já vou colocá-lo para dormir.

— Deixe que minha mãe cuide dele — respondeu. — Temos que sair agora!

Levantei de cadeira, ainda não entendendo a urgência do momento, e mostrei para a Vânia como pôr o Pietro para dormir.

— Vamos lá — disse para Sarah, entrando no quarto. — Já fiz as malas.

— Não, não, não, não... — ela replicou, se segurando na cama. — Não dá. Chama uma ambulância.

— Eu te levo, pode deixar — respondi. — Vai ser mais rápido ir de carro.

— Você não entendeu. Ele está aqui. Está nascendo!

— Nascendo? Qual é a frequência das contrações?

— A cada minuto. Talvez menos.

— A cada minuto? Vem aqui, eu te levo.

— Não está me ouvindo? CHAMA A AMBULÂNCIA!

Peguei o telefone.

— Oi, temos uma emergência! Precisamos de uma ambulância. Minha mulher está tendo contrações, mas temos de descer as escadas e ela está falando que não consegue andar e o bebê está nascendo.

— O que foi que eles falaram? — a Sarah perguntou quando terminei a ligação.

— Vão mandar a ambulância agora. Vai ser rápido — disse, lembrando que a ambulância tinha levado cinco minutos para chegar em casa quando tive uma dor renal alguns meses antes.

O Pietro apareceu na porta do quarto.

— *Mamma*?

— Ele não pode me ver assim! — ela falou. — Vai ficar traumatizado.

Levei o Pietro para a sala, coloquei um desenho na televisão e voltei para o quarto.

— Como você está?

— Com vontade de empurrar. Assim que eu abrir as pernas ele vai nascer. Cadê essa ambulância?

Peguei o telefone de novo.

— Ei, é a segunda vez que ligo. A minha mulher está dando à luz no nosso quarto! Cadê a ambulância?

O telefonista falou que eles estavam se preparando para sair do hospital.

— Como assim se preparando? O meu filho está quase aqui!

— E aí? — a Sarah perguntou.

— Estão para sair.

— Para sair?!

A porta do quarto abriu de novo.

— *Mamma*?

— Fica aqui fora, Pietro — falei, levando-o de volta para a sala.

— Como a Sarah está? — a Vânia perguntou.

— O Matteo vai nascer daqui a pouco. Chamei a ambulância duas vezes. — Ela cobriu a boca com a mão, assustada. — Você tem que se concentrar no Pietro, tudo bem? — Ela acenou com a cabeça.

Voltei para o quarto e fechei a porta.

— Ele está aqui! — a Sarah falou.

— Aqui?

— Quero empurrar. Você vai ter que me ajudar.

Um milhão de coisas me passaram pela cabeça. Um parto em casa. Minha esposa sofrendo. Uma cama com lençóis usados que poderiam causar uma infecção. Nós, sozinhos, como nos tempos primitivos. Nenhum instrumento esterilizado. Nenhum médico para dizer que vai dar tudo certo. *Não dá para desligar desta vez. Tenho que dar conta da coisa. Sou o único aqui.*

— Deixa eu pegar umas toalhas — falei.

— Liga de novo. É inacreditável.

— *Mamma mia!* – gritei no telefone. — É a terceira vez que ligo. Pedi uma ambulância vinte minutos atrás. Minha esposa está dando à luz!

Eles responderam que a ambulância estava a caminho.

— Mas não dá mais tempo — a Sarah falou. — Ele está nascendo AGORA!

A enfermeira no telefone falou que iria me ajudar a fazer o parto.

— O que sua esposa está dizendo?

— Ela está de perna fechada, mas diz que o bebê vai nascer assim que ela permitir.

— Fala para ela relaxar — a enfermeira instruiu. — Se continuar assim, vai machucar o bebê.

— Ela falou que você precisa relaxar — instruí a Sarah.

— Mas aí ele vai nascer!

— Eu sei, a moça está me ajudando.

A Sarah me olhou, assustada. Olhei firme para ela, mas sabendo que não podia enganá-la; ela sabia que eu não tinha a menor ideia. Estávamos sozinhos, nos apavorando juntos. Um momento eterno passou, mil perguntas vieram à mente, e o interfone tocou.

— Eles chegaram! — falei aliviado.

— Graças a Deus!

Abri a porta do apartamento. Uma mulher e dois homens entraram.

— Essa é a cabecinha dele — a mulher falou, quando viu a Sarah. — Temos que levar você para baixo.

— Não consigo andar — ela respondeu. — Podemos fazer o parto aqui.

— Não dá. Precisamos dos aparelhos da ambulância.

— Deixe conosco — um dos homens falou, mostrando uma maca. — Nós levamos você.

Colocaram a Sarah na maca e a levaram, descendo as escadas. Eu peguei as sacolas do hospital e os segui. Depois de um andar, olhei para eles, levando a Sarah um andar abaixo. Metade do corpo do Matteo já estava para fora. Ele estava azul, imóvel, apoiado na maca; os olhos estavam fechados e o cordão umbilical enrolava seu pescoço. *Ele está morto*, pensei. Surtando, os homens praguejavam, enquanto a Sarah cobria os palavrões deles com orações.

Levaram a maca da Sarah para a ambulância estacionada no meio da rua. Eu subi no banco do passageiro, pensando que a ambulância estava para sair.

— Como ele está? Como ele está? — a Sarah perguntava. Eles trabalhavam em silêncio, além de nossa visão, ali mesmo. A Sarah me olhou.

— A vovó Lizete viu ele. Ele vai ficar bem, né?

Eu fiquei ali, em choque, sem saber o que responder. Olhei ao redor, para a Sarah, para as sacolas que agora pareciam inúteis. O volante da ambulância chamou minha atenção, por alguma razão. Era um volante bem grande. Percebi que estava me desconectando da realidade.

— Senhor Jesus, toma conta dele — a Sarah orou.

Ela não sabe que ele morreu, pensei, antes de me esforçar para ter esperança mesmo sem esperança e orar junto com ela.

— Que ele esteja bem — continuou. — Guia as mãos deles. Deixa meu filho vivo.

Finalmente, ouvimos um chorinho que abriu os céus e moveu montanhas. *Ele está vivo!* A enfermeira trouxe o

Matteo para a Sarah. Ele chorava muito, era lindo. Foi um alívio vê-lo respirando e gritando.

A ambulância nos levou ao *Policlinico Umberto I*, o hospital universitário especializado em casos complicados. Bombardeamos as enfermeiras com perguntas sobre a saúde do Matteo. Ele estava bem? Teria danos cerebrais causados pelos minutos que passaram antes que pudesse respirar? Estava azul!

Os médicos o monitoraram por um dia, e então dois. Fizemos todas as perguntas possíveis, mas pelo que podiam ver, não apresentava sinais negativos. Parecia um bebê normal e saudável. Na verdade, o Matteo era muito alerta, observando os arredores com a maior atenção.

Quando percebemos que o Matteo ficaria bem de fato, a adrenalina baixou, dando lugar a outras ondas de emoções. A primeira foi o arrependimento: eu deveria ter dado a devida atenção aos prenúncios e levado a Sarah ao hospital imediatamente. Em seguida, sentimos raiva da ambulância que demorou 25 minutos para chegar em casa, quando deveria ter sido cinco. Aí senti vergonha por ter ficado em choque no banco do passageiro, quando poderia ter feito algo para ajudar ou ao menos observado os paramédicos trabalharem. Mas a emoção que por fim durou foi outra: uma imensa, ilimitada e colossal gratidão. Poderia ter sido muito diferente. Tanta coisa poderia ter dado errado. Poderíamos ter acabado com um caixão infantil, um funeral e uma casa amargurada. Ver o Matteo respirar e observar o mundo me encheu de reverência e apreço. Ele era um milagre vivo. Cada vida é um milagre. Ajudar outra pessoa a existir é um dom. Senti vontade de viver e de amar e de agradecer a Deus por tudo.

DOIS DIAS DEPOIS, trouxemos o Matteo do hospital para casa. Era uma tarde linda de fim de verão. A Vânia subiu as escadas com o Pietro, a Sarah levou o Matteo, e eu subi com a parafernália: dois carrinhos e mais sacolas do que nunca. Estava suando quando cheguei ao apartamento, então tirei a camiseta e deixei água fria escorrer sobre as mãos, os braços e a cabeça.

— Segura o Matteo um pouco — a Sarah pediu. — Quero me refrescar também.

Segurei o Matteo nos braços. O dia estava tão quente que ele estava só de fralda. Podia sentir as pequenas batidas de seu coração e seu peito apoiado no meu.

Comecei a mostrar a casa para ele.

— Este é o seu quarto. Nessa coisa branca grande guardamos suas roupas. Aqueles são brinquedos. Você gosta de brinquedos?

Ele olhou para uma prateleira com macacos, elefantes e girafas de pelúcia, não fazendo ideia dos momentos que logo teria com eles. Passamos ao corredor.

— Aqui o Pietro e eu jogamos os carrinhos para eles baterem um nos outros. Você pode brincar com a gente. Você vai gostar dos carrinhos.

Fomos à cozinha.

— Neste móvel aqui eu guardo minha Nutella. Não conta para a mamãe. Aquela coisa amarela vindo da janela é o sol. Você gosta do sol?

Fomos à sala de estar.

— Aquele é o tapete. Aquele o sofá. E este aqui…

Minha voz falhou e minha vista embaçou. Vi nosso reflexo no espelho pendurado sobre o sofá, o corpinho frágil do Matteo emoldurado por meu peito e meus braços. Foi a visão eu que almejava desde que a Sarah e eu começamos a falar de ter filhos, mas que — preocupado com meu despreparo, consumido pelas praticidades, ansioso por me provar de tantas maneiras — achava que nunca viria. O espelho me disse que estava tudo bem. Vi um bebê nos braços de seu pai, e quando me olhei nos olhos vi amor, paz e o pai que eu sonhava ser.

Trouxe o Matteo para perto de meus lábios.

— O que estou tentando dizer é isto: Bem-vindo ao mundo, filho.

Uma lágrima caiu no tapete debaixo da gente.

— Bem-vindo ao mundo.

Notas

[1] 1Samuel 1.11.

[2] "Death of a Genius", *Time*, 2 de maio de 1955, <https://content.time.com/time/subscriber/article/0,33009,866292,00.html>, acesso em 9 de março de 2023.

[3] Esse trabalho de assessoria se chama Mommy's Concierge e pode ser visitado em: <www.mommysconcierge.com>.

[4] Frederick Buechner, *Wishful Thinking: A Seeker's ABC* (New York: HarperOne, 1993).

[5] A cura da sogra de Pedro é relatada por Marcos e por Mateus em seus evangelhos. "Quando Jesus chegou à casa de Pedro, viu que a sogra dele estava de cama, com febre" (Mateus 8.14; ver também Marcos 1.29-31). O apóstolo Paulo era celibatário, mas revela que os outros apóstolos, Pedro e os irmãos de Jesus eram casados quando perguntou à igreja que fundou em Corinto: "Não temos o direito de levar conosco uma esposa crente, como fazem os outros apóstolos, e como fazem os irmãos do Senhor e Pedro?" (1Coríntios 9.5).

[6] Mateus sugere que José consumou o casamento com Maria depois do nascimento de Jesus, e Lucas conta que os pais de Jesus o levaram a Jerusalém quando ele tinha 12 anos (Mateus 1.25, Lucas 2.41-51). Somos apresentados aos irmãos e irmãs de Jesus quando os habitantes de Nazaré, a cidade onde Jesus cresceu, perguntam: "Não é esse o filho do carpinteiro? Conhecemos Maria, sua mãe, e também seus irmãos, Tiago, José, Simão e Judas. Todas as suas irmãs moram aqui, entre nós" (Mateus 13.55-56; ver Marcos 6.3). Tiago, o mais velho dos irmãos de Jesus, se tornou um líder importante da igreja de Jerusalém (Atos 15.13-21, Gálatas 1.18–2.10; 1Coríntios 15.5).

[7] Dante Alighieri, *La Divina Commedia* (Roma: Newton Compton Editori, 2022), p. 31-32. (Tradução do autor.)

[8] Ver 1Tessalonicenses 5.17.

[9] Irmão Lawrence e Frank Laubach, *Praticando a presença de Deus: Como alcançar a vida cristã profunda* (São Paulo: Danprewan, 2018).

[10] Mateus 11.28; Hebreus 4.16.

[11] Gênesis 18.12.

[12] Gênesis 21.6.

[13] Love is BIGGER, <https://www.youtube.com/@loveisbigger1431>.

Sobre o autor

René Breuel é pastor e fundador da Hopera, igreja situada em Roma, na Itália, desde 2012. Possui mestrado em Escrita Criativa pela Universidade de Oxford, no Reino Unido, em Teologia pelo Regent College, no Canadá, e é bacharel em Administração pela Fundação Getúlio Vargas. Já contribuiu com veículos como *Washington Post*, *Times Literary Supplement*, *Christianity Today*, *Evangelical Focus* e *Ultimato*, e é autor do livro *O paradoxo da felicidade*. É casado com Sarah e pai de dois meninos, Pietro e Matteo.

Compartilhe suas impressões de leitura,
mencionando o título da obra, pelo e-mail
opiniao-do-leitor@mundocristao.com.br
ou por nossas redes sociais

Esta obra foi composta com tipografia Palatino e impressa em
papel Pólen Natural 70 g/m² na gráfica Imprensa da Fé